1本の糸から生まれる美しい模様135点

はじめての加賀ゆびぬき

第2版

大西由紀子

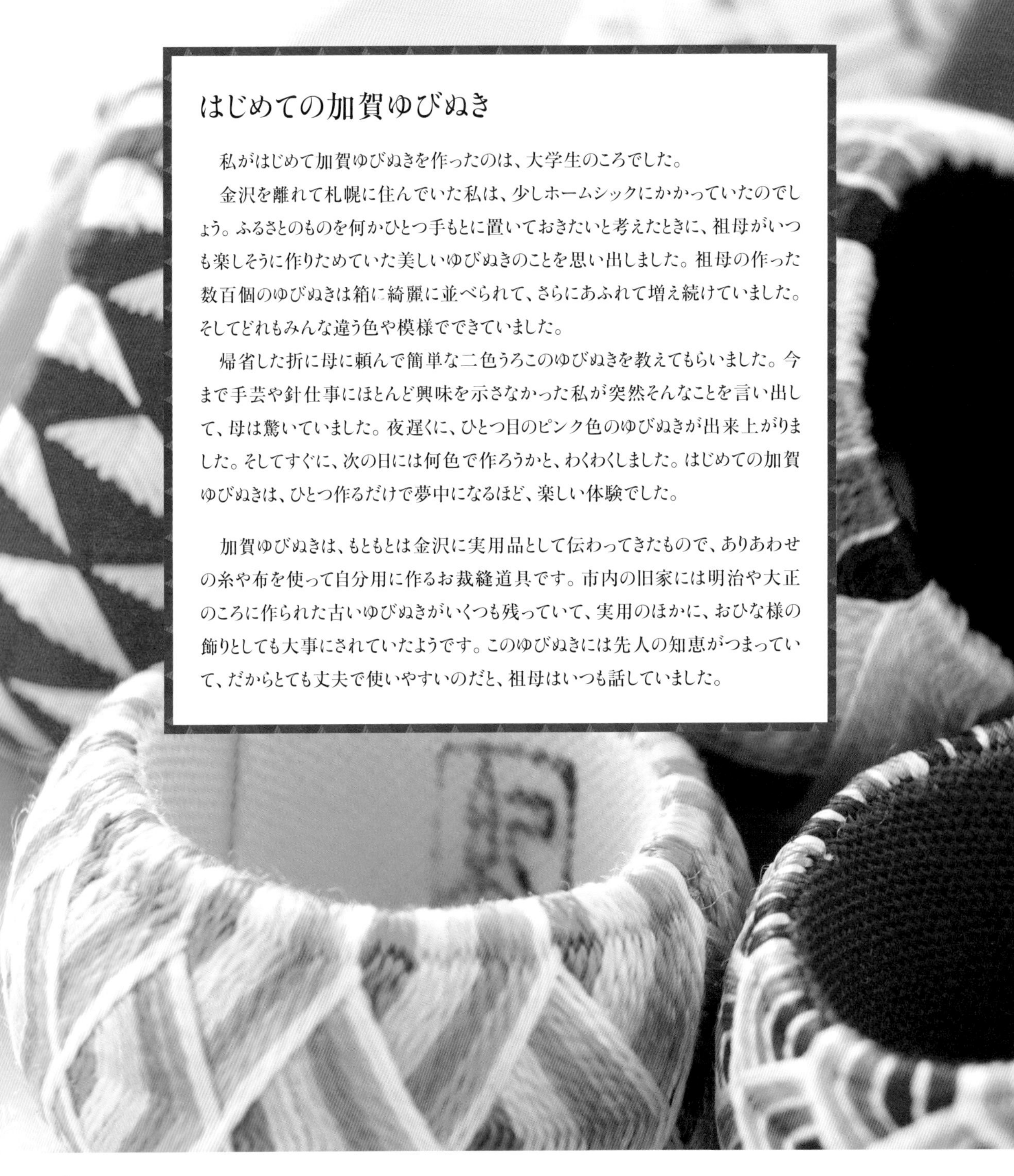

はじめての加賀ゆびぬき

私がはじめて加賀ゆびぬきを作ったのは、大学生のころでした。

金沢を離れて札幌に住んでいた私は、少しホームシックにかかっていたのでしょう。ふるさとのものを何かひとつ手もとに置いておきたいと考えたときに、祖母がいつも楽しそうに作りためていた美しいゆびぬきのことを思い出しました。祖母の作った数百個のゆびぬきは箱に綺麗に並べられて、さらにあふれて増え続けていました。そしてどれもみんな違う色や模様でできていました。

帰省した折に母に頼んで簡単な二色うろこのゆびぬきを教えてもらいました。今まで手芸や針仕事にほとんど興味を示さなかった私が突然そんなことを言い出して、母は驚いていました。夜遅くに、ひとつ目のピンク色のゆびぬきが出来上がりました。そしてすぐに、次の日には何色で作ろうかと、わくわくしました。はじめての加賀ゆびぬきは、ひとつ作るだけで夢中になるほど、楽しい体験でした。

加賀ゆびぬきは、もともとは金沢に実用品として伝わってきたもので、ありあわせの糸や布を使って自分用に作るお裁縫道具です。市内の旧家には明治や大正のころに作られた古いゆびぬきがいくつも残っていて、実用のほかに、おひな様の飾りとしても大事にされていたようです。このゆびぬきには先人の知恵がつまっていて、だからとても丈夫で使いやすいのだと、祖母はいつも話していました。

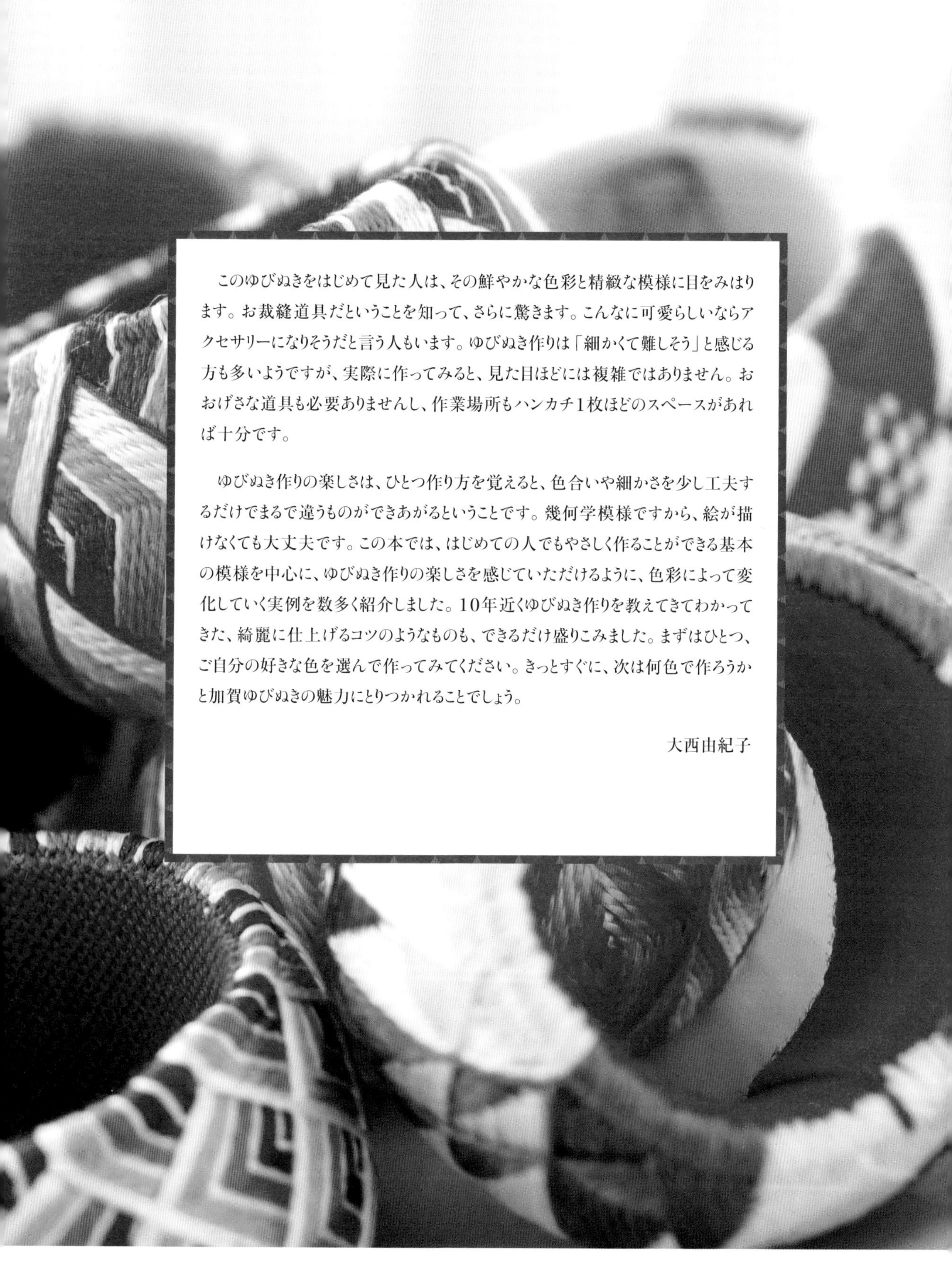

このゆびぬきをはじめて見た人は、その鮮やかな色彩と精緻な模様に目をみはります。お裁縫道具だということを知って、さらに驚きます。こんなに可愛らしいならアクセサリーになりそうだと言う人もいます。ゆびぬき作りは「細かくて難しそう」と感じる方も多いようですが、実際に作ってみると、見た目ほどには複雑ではありません。おおげさな道具も必要ありませんし、作業場所もハンカチ1枚ほどのスペースがあれば十分です。

ゆびぬき作りの楽しさは、ひとつ作り方を覚えると、色合いや細かさを少し工夫するだけでまるで違うものができあがるということです。幾何学模様ですから、絵が描けなくても大丈夫です。この本では、はじめての人でもやさしく作ることができる基本の模様を中心に、ゆびぬき作りの楽しさを感じていただけるように、色彩によって変化していく実例を数多く紹介しました。10年近くゆびぬき作りを教えてきてわかってきた、綺麗に仕上げるコツのようなものも、できるだけ盛りこみました。まずはひとつ、ご自分の好きな色を選んで作ってみてください。きっとすぐに、次は何色で作ろうかと加賀ゆびぬきの魅力にとりつかれることでしょう。

大西由紀子

目次
INDEX

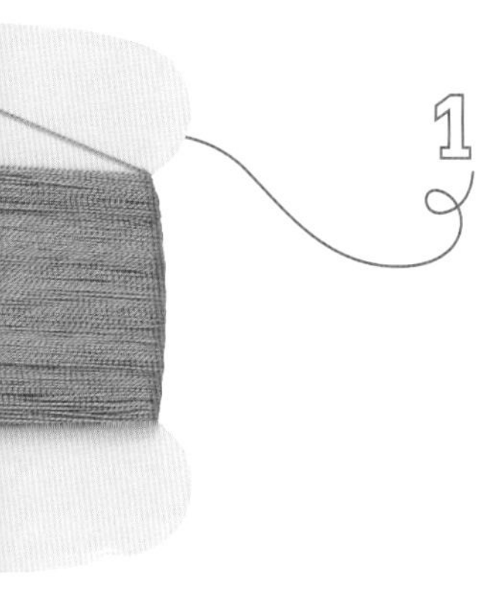

1 並刺しのゆびぬき

2 ゆびぬき作りの基礎

3 くぐり刺しのゆびぬき

INDEX

作り方

等分印スケールは巻末に掲載

1

並刺しのゆびぬき

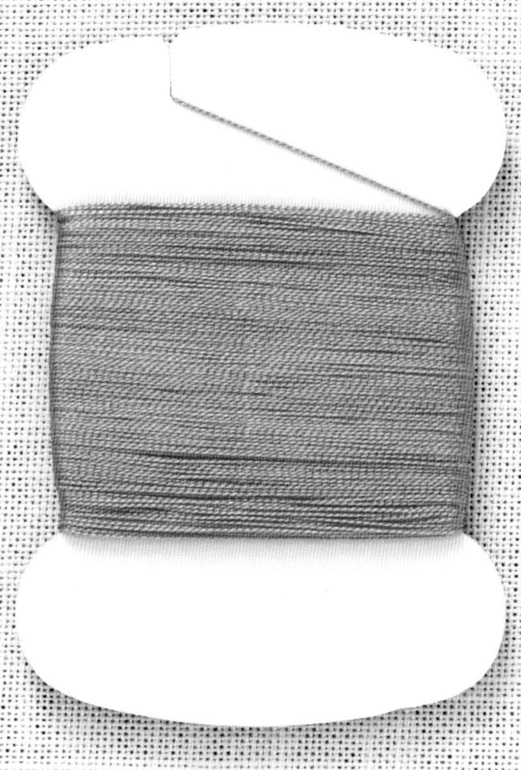

ⓐ 矢鱈縞（やたらじま） ～1本の糸で縞模様を楽しむ～

色を替えながらかがっていくと自然に縞模様ができあがります。幅を細くしたり、広くしたり、色の数を増やしたり。思い思いにかがってください。
矢鱈縞、というのは不規則に幅が変わっていく縞につけられた古い名前です。

作り方：122 123ページ

1

2
3

4
5

ⓑ 二色うろこ ～2本の糸で色彩を楽しむ～

にしょくうろこ

2本の糸を交互にかがっていくと浮かんでくる、規則正しい三角形のうろこ模様。
昔から魔を祓う縁起の良い模様とされてきました。途中で色を替えることで、
うろことはまた違った模様があらわれます。

作り方：(124)(125)ページ
★この作品の1は36ページで作り方を解説しています

1 二色うろこ　2

5 青海波
3
4

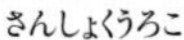

(c) 三色うろこ ～3本の糸で変化を楽しむ～

さんしょくうろこ

1色増えて三色のうろこ模様になると、三角形もよりくっきりと浮かんできます。
ひとコマの中で色の変化を楽しめるように、ややゆったりと12コマで作りました。
色数を増やしたり減らしたり、見た目の変化を楽しんでください。

作り方：126 127 ページ

1 三色うろこ

2

3

4

5

6 三色うろこ

ⓓ 四色（よんしょく）うろこ ～4本の糸で複雑さを楽しむ～

4本の糸を交互にかがる模様です。シンプルなうろこ模様でも、
色の並び順で雰囲気が変わります。ひとコマ分をそのまま1色にするか、
縞を入れるのか、組み合わせを考え出すと楽しくて止まりません。

作り方：128 129 ページ

3
4

5 矢羽根
6

ⓔ 五色うろこ（ごしょくうろこ） ～5色の糸できらめきを楽しむ～

5本の糸を交互にかがる細かなうろこ模様です。
全体に細かいので、きらきらと輝くような印象になります。
ひとコマが小さいので、コマのなかでの変化はあまりできません。

作り方：130 131 ページ

1

2 五色うろこ

3

4
fleur
5
6

ⓕ 青海波(せいがいは)（2飛び）～1本の糸の基本のまわし刺し～

青海波は吉祥模様として、生活のあちらこちらに用いられてきました。
まわし刺しで一筆描きのように糸を続けてかがっていくと、
自然に模様ができあがります。

作り方：(132)(133)ページ

3
2
4

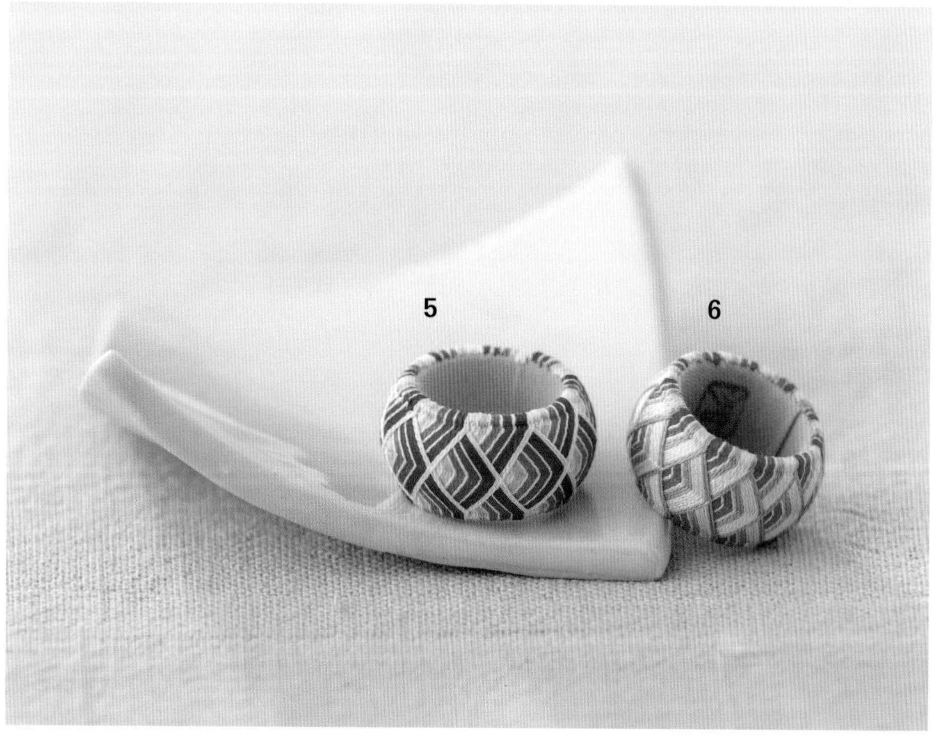
5
6

ⓖ 青海波(せいがいは)（3飛び）～飛び数を増やした1本のまわし刺し～

少し細かい青海波です。縞の細かさ、色の濃淡などの組み合わせで、
印象がずいぶん変わります。

作り方：(134)(135)ページ

4
5
6

ⓗ 青海波（せいがいは）（4飛び）～もっと飛び数を増やした1本のまわし刺し～

細かい青海波です。細かな模様になるほど、はっきりした色彩が似合います。

作り方：136 137ページ

3
4
5

ⓘ 矢羽根（やばね）（4飛び）～2本の糸のまわし刺し～

シンプルに2色の糸でかがると矢羽根模様になります。
縞を入れたり途中で色を切り替えたりすると、まったく違う模様になります。

作り方：(138)(139)ページ

1

2

3 矢羽根

4
5 青海波

6

ⓙ 矢羽根(やばね)(6飛び) ～飛び数を増やした2本のまわし刺し～

飛び数を増やしていくと、模様の繰り返しが多くなります。
あいまいな色の組み合わせはぼやけてしまうので、
はっきりしたコントラストを選びましょう。

作り方：(140)(141)ページ

1

2 矢羽根

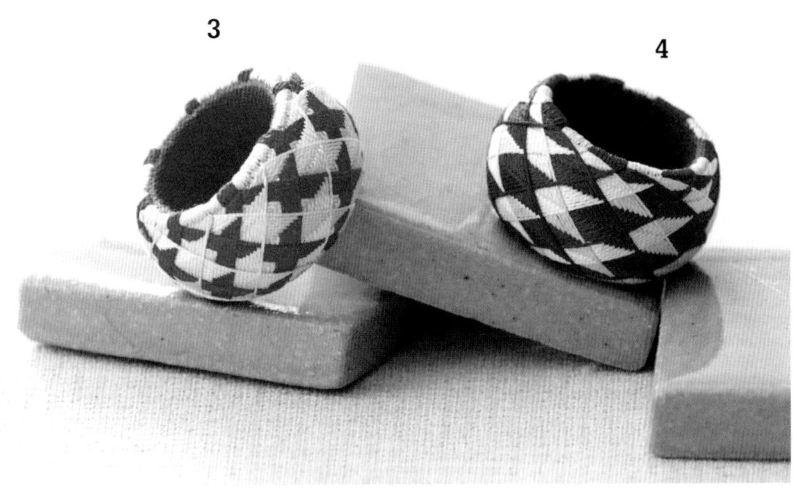
3
4

5
6

k 金魚(きんぎょ) ～3本の糸のまわし刺し～

3本のうち2本を赤にすると、ゆらりと泳ぐ金魚模様になります。
これも色を替えてかがると、まるで別のものになります。
主役になる色を考えながら、配色を楽しみます。

作り方：142 143ページ

2

1 金魚

3 まつぼっくり

5

4

2

ゆびぬき作りの基礎

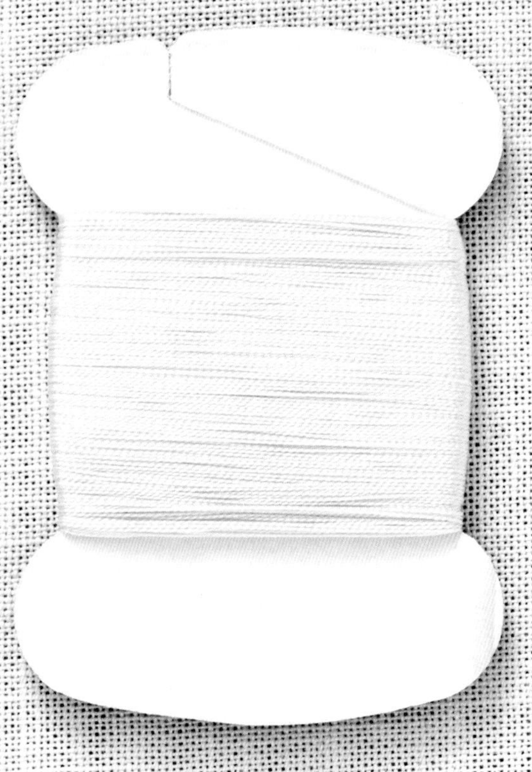

必要な材料と用具

材料

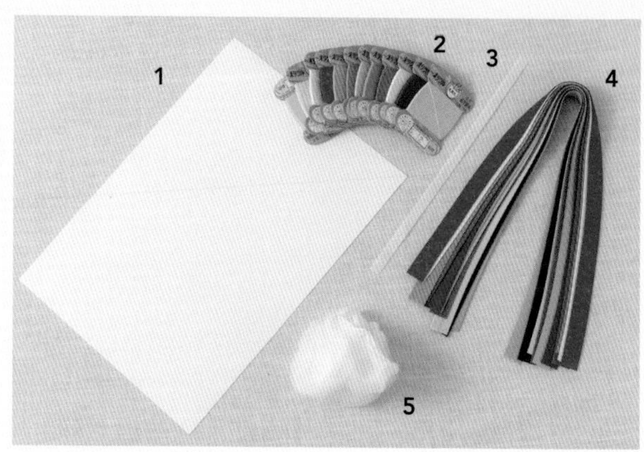

1 ケント紙（A4サイズ）
土台のゆびぬきの筒を作る時に使ったり、バイアス布の上にしんとして巻きつけるために使います。筒として使う時は4分割に切って使います。

2 絹手縫い糸
ゆびぬきの外面をかがるための糸です。しなやかで艶があり、発色の美しい絹製のものを使います。

3 和紙（薄手のもの・1cm幅）
指の太さを測る時に使ったり、等分印を描いて真綿に巻きつけて使います。この等分印をもとに糸をかがっていきます。半紙などでも代用可。

4 バイアス布
折れ線が入っていないものが便利ですが、折れていても使えます。幅は3cm程度のものが適当です。ゆびぬきの内面の色になります。

5 真綿
土台のゆびぬきに巻いて、ふっくらとした柔らかな曲線を出し、強度を高めるのに使います。手芸店や布団店などで取り扱っています。

＊この本の作品では、主にカナガワ株式会社の絹手縫い糸を使っています。問い合わせ先は巻末をご覧ください。

用具

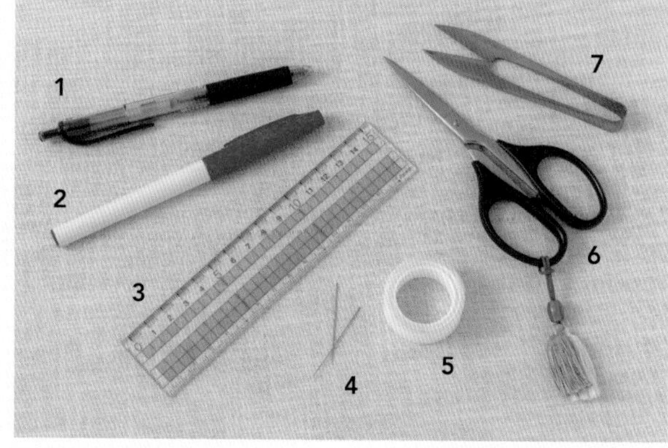

1 ボールペン
等分印の印を付ける時などに使います。

2 赤ペン（油性）
刺し始めのスタートに印を付ける時に使います。

3 定規
等分印の印を付ける時や、バイアス布を自作する時などに使います。

4 針
絹縫い針の四の三、または四の二が適当です。数本あると便利です。

5 メンディングテープ
等分印を付けた和紙を巻きつけて留める時などに使います。セロハンテープでも代用可。

6 はさみ
紙や布を切る時に使います。

7 糸切りばさみ
糸を切る時に使います。

あると便利

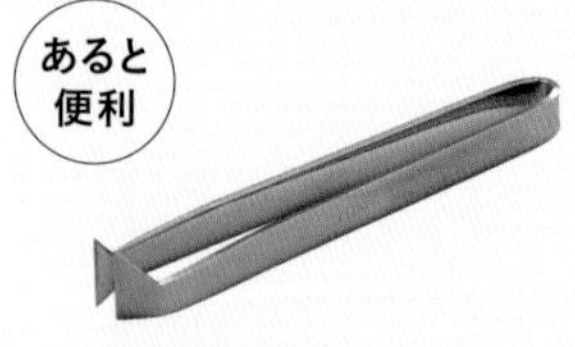

糸抜き
土台のゆびぬきを作る時、指ではバイアス布をうまく折り返せない場合に、糸抜きを使うとやりやすくなります。

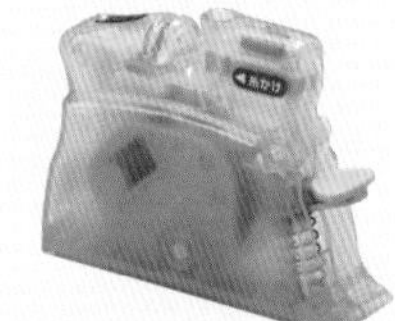

針通し
自動で糸を針に通してくれる用具です。

電卓
等分印スケールがない場合に、等分の幅を計算する時に使います。

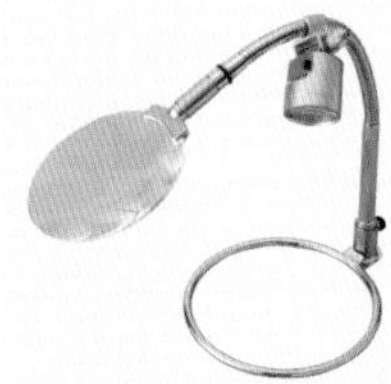

ルーペ
手元を拡大してくれる用具です。細かい作業がやりづらい時に。

土台のゆびぬきを作ってみましょう

土台のゆびぬきとは？

どの作品を作る時も必要になる、絹糸でかがる前の土台部分のゆびぬきのことです。自分の指の太さに合わせて作ります。手順3の「真綿を巻く」まではどのデザインのゆびぬきも同じです。手順4で等分印をつける時に、デザインによって印の数を変更します。

1.指の太さと同じ筒を作る

事前に準備しておくこと
A4のケント紙を1.1cm幅に横長に1本切っておく。

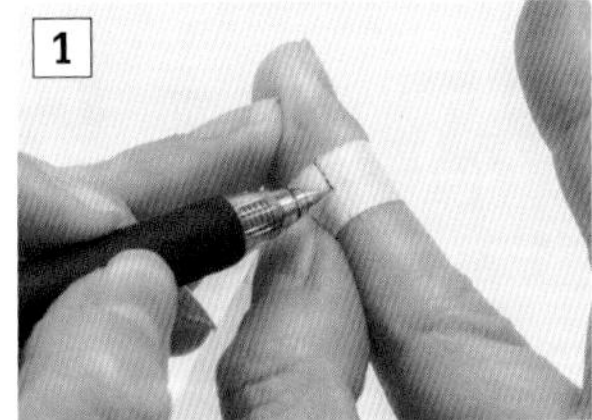

右手の中指の第一関節に和紙を巻きます。一周させて、透けて見えるスタート位置にボールペンで印を付けます。

CHECK > ゆとりをもたせず、指にきっちりと巻きます。

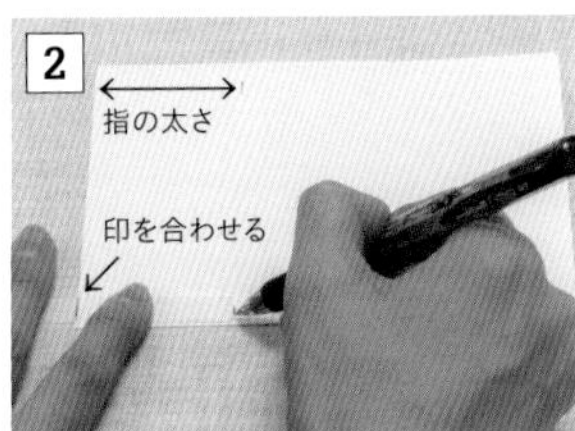

ケント紙（1.1cm幅に切った残りの部分）を十字に4分割に切り、横長に置きます。和紙に付けた印をケント紙の左端に当て、和紙の右端に合わせてケント紙の上下に印を付けます。定規で線を引きます。指の太さを写せました。

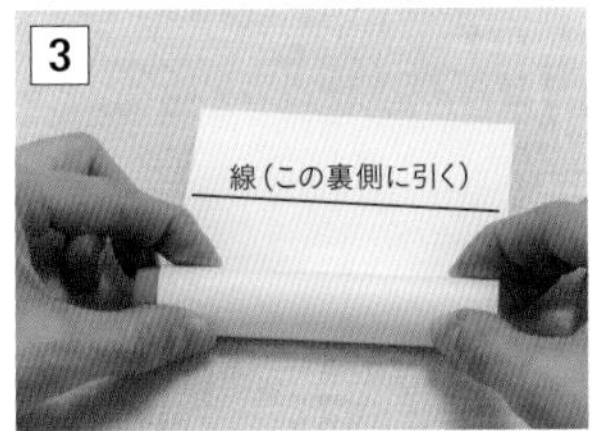

線を引いた方を裏にし、スティックのりなどの筒状のものを使ってケント紙に丸みを付けます。

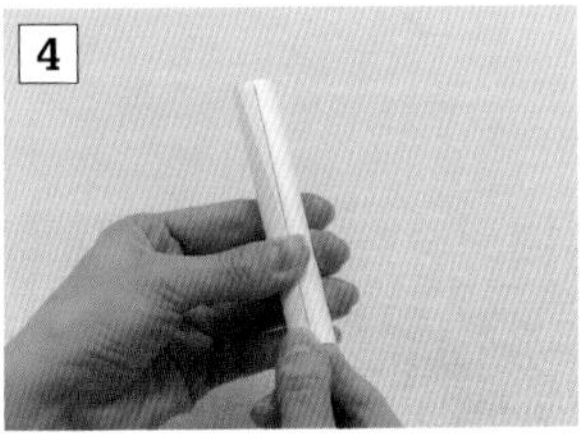

そのままケント紙を巻いていき、紙端と線をぴったり合わせます。

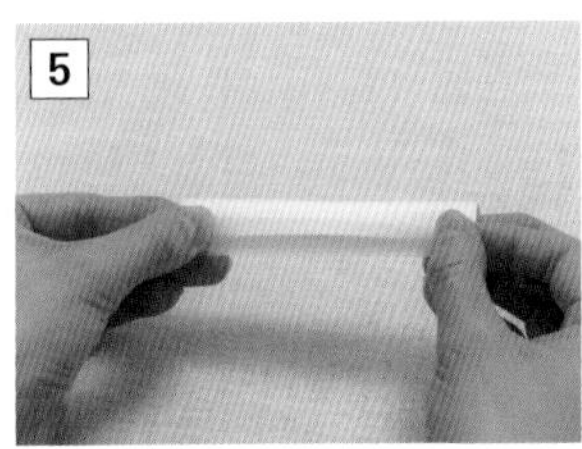

メンディングテープで全体を留めます。指の太さと同じ筒ができました。

CHECK > 自分の筒ができたら、以後筒作りは省略できます。太さの合う口紅ケースや木の棒などを筒の代わりにしても構いません。

2.しんを作る

事前に準備しておいた1.1cm幅のケント紙に、筒の丸みを使ってくせ付けをしておきます。

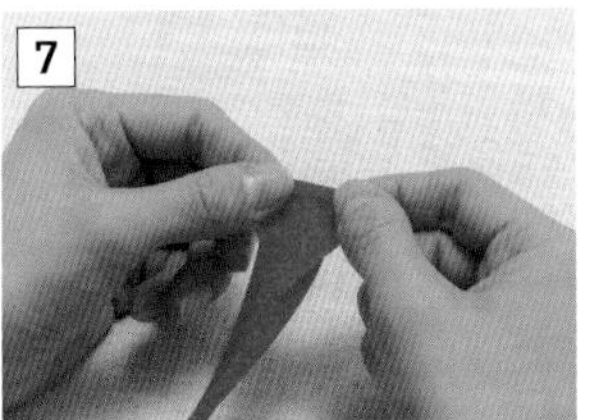

バイアス布の端を指で2〜3mm折ります。

CHECK > 折り線が付いているバイアス布は、指で広げるかアイロンがけをします。

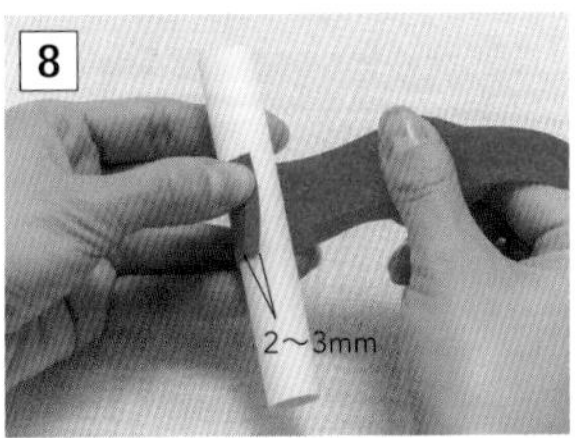

折った部分を外にして、バイアス布を筒に巻きつけます。

CHECK > 折り目を付けることで、バイアス布の端がほつれてくるのを防ぎます。

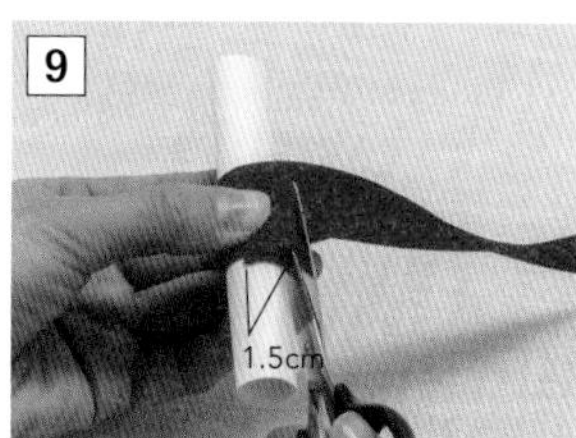

1.5cm程度重ねた状態で、バイアス布をはさみで切ります。

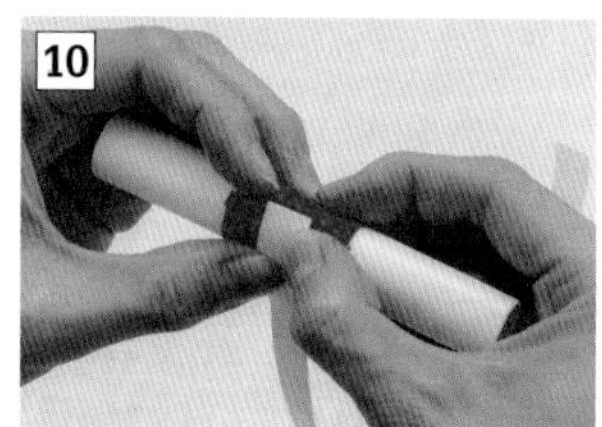

6のケント紙をバイアス布の中央に巻き付けていきます。

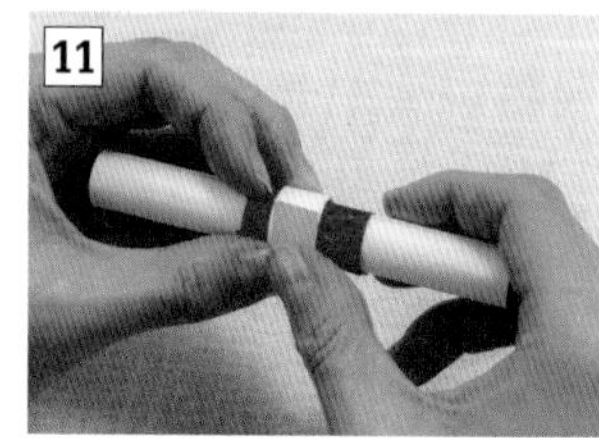

ケント紙を全て巻きつけたところ。ケント紙が緩んでこないように注意します。

CHECK > ケント紙を強く引っ張らないように注意しましょう。

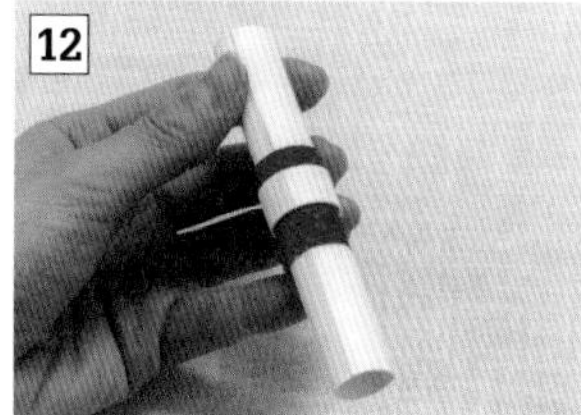

小さく切ったメンディングテープで止めて巻き終わりです。

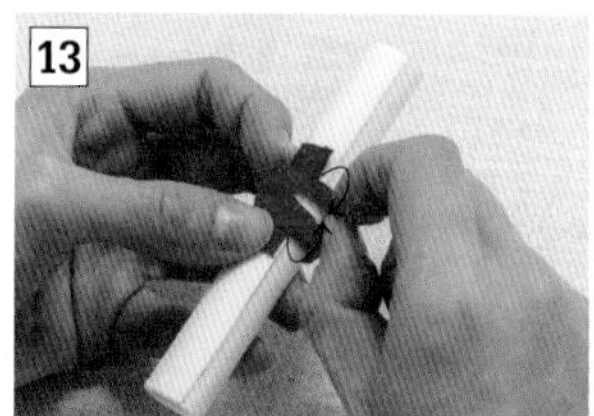

バイアス布の上下を指で外側に折り返します。

CHECK > 折り返しづらい時は糸抜きを使うと便利です。

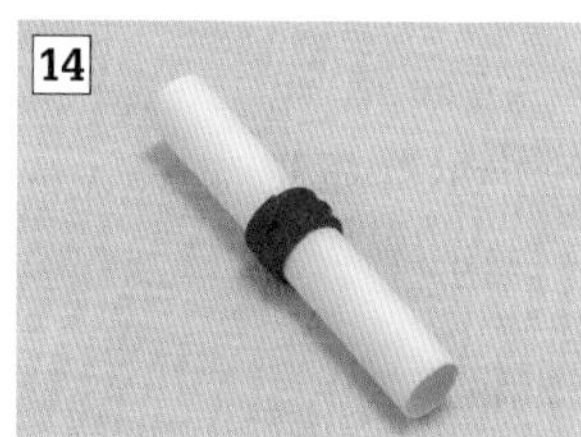

全て折り返したところ。余りがないようにしっかりと折り返します。

CHECK > 布を引っ張りすぎないよう注意してください。

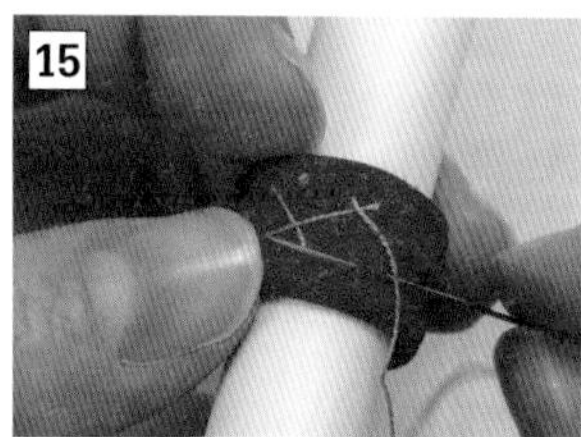

折り返したバイアス布を、33ページのイラストを参照しながら千鳥がけで縫い止めます。糸は40〜50cm程度用意し、玉止めをして1本どりで縫います。

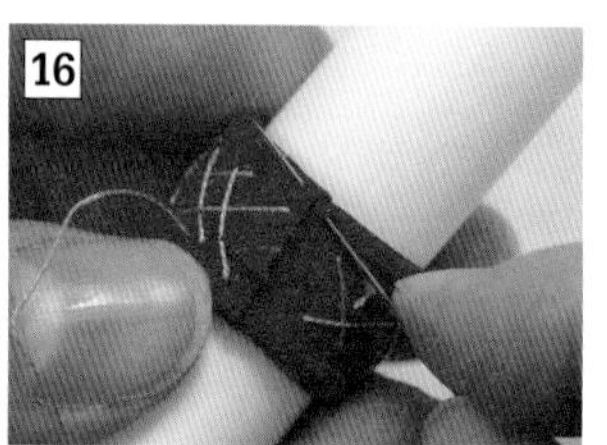

千鳥がけが一周したら、バイアス布の重なりの上部を写真のように針で拾います。

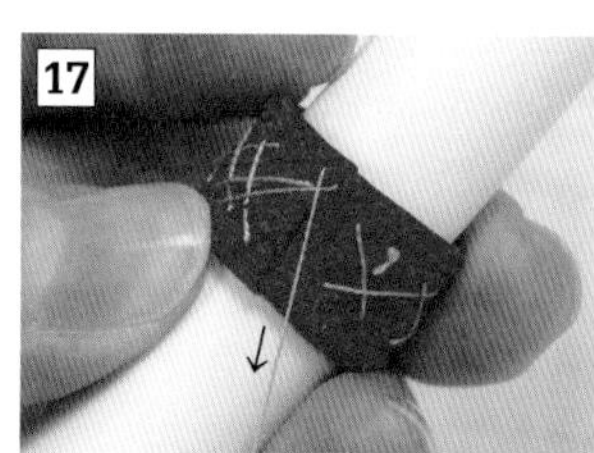

バイアス布の重なりを引き締めるようにして糸を下に引きます。

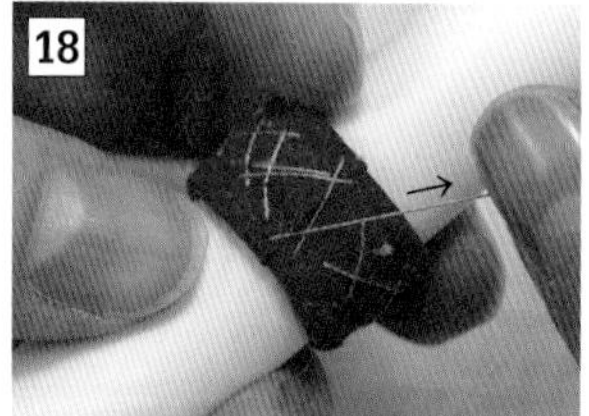

同様に重なりの下部も針で拾い、引き締めるようにして糸を上に引きます。

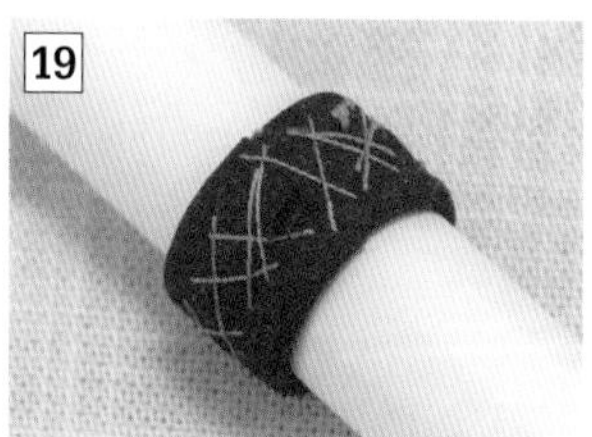

最後は千鳥がけを1〜2cm程度重ねて玉止めをします。

POINT > 良い土台は布の張りにゆとりがあります。千鳥がけが仕上がったら指を入れて軽くバイアス布を動かし、ゆとりがあるか確かめてみましょう。

千鳥がけの方法

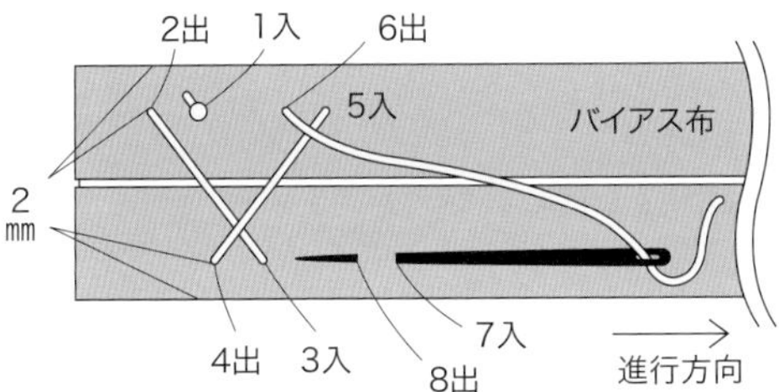

3.真綿を巻く

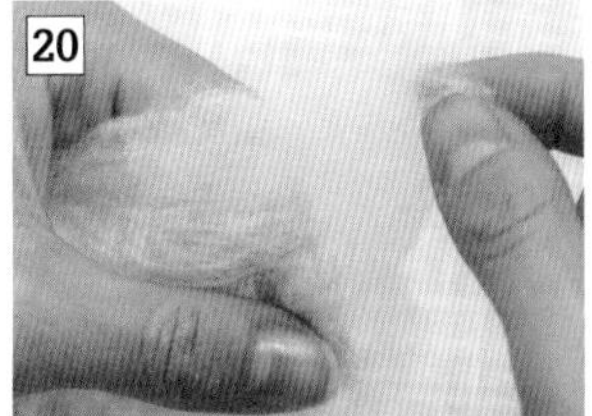

真綿をつまみ、1か所を引き出します。

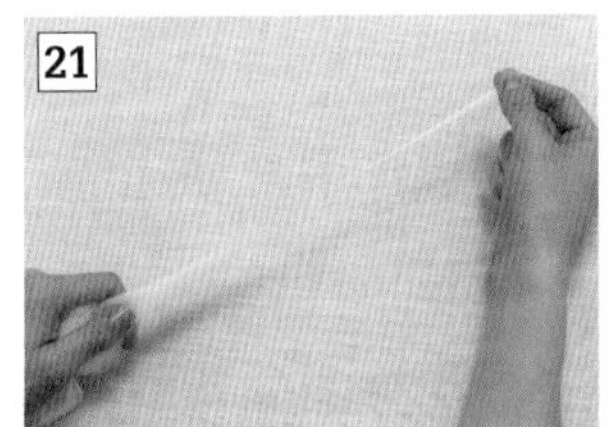

1cm程度の幅になるように長く引き出します。引っ張る時に、必ず片手は真綿本体を持つようにしましょう。そうしないと思うように伸びません。

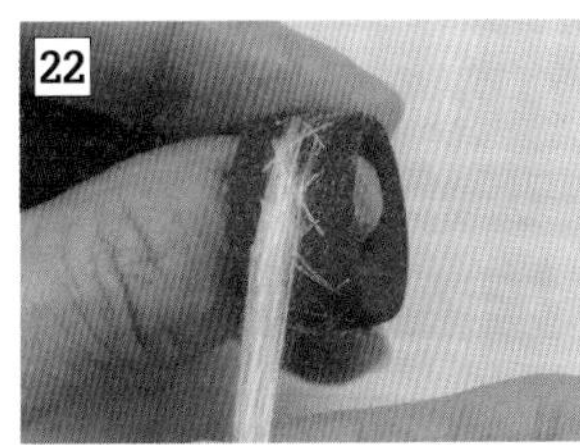

長く引き出した真綿をしんに巻きつけていきます。この時、真綿ではなくしんを回すようにして巻きつけます。

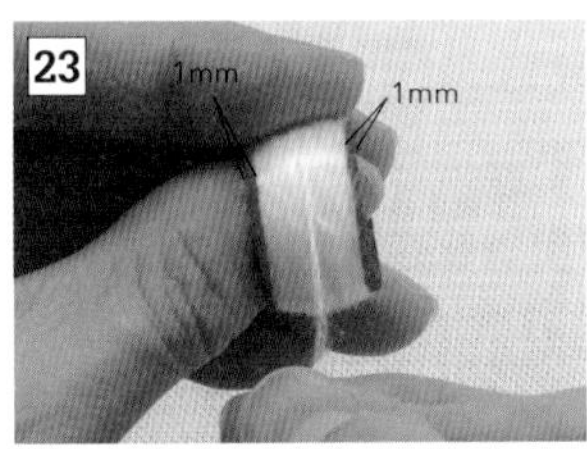

大体の真綿が巻きついたところ。引っ張りながらきつく巻きつけると表面にツヤが出てきます。しんの上下1mmには真綿を巻きつけないようにし、中央がやや厚くなるようにします。

最後は真綿をちぎって撫でつけて仕上げます。

上から見たところ

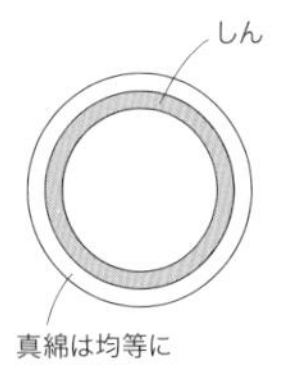

横から見たところ

真綿

しん

中央に向けてやや厚くする

4.等分印を付ける

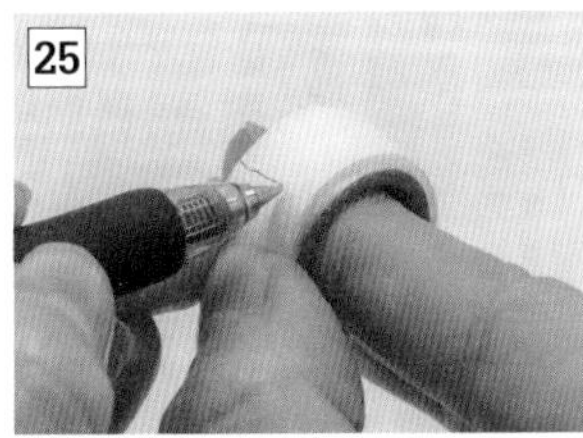

1で指の太さを測った和紙の残りを、真綿の外側に巻きつけます。一周させて、透けて見えるスタート位置にボールペンで印を付けます。

CHECK > ゆるみなくぴったり一周のところに印をつけます。

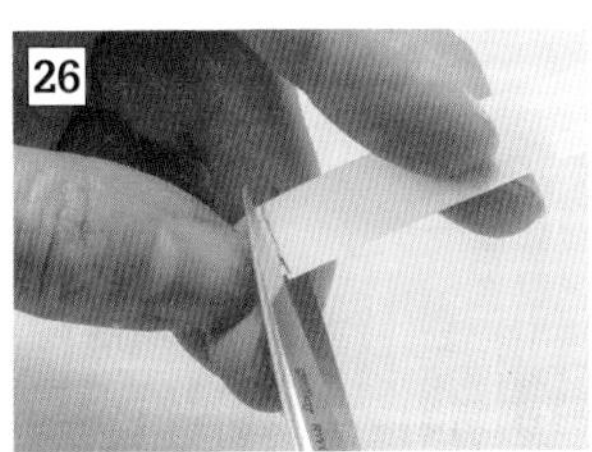

印を付けたところをはさみで切ります。この時、直角にきっちりと切るようにしましょう。

巻末に付いている等分印スケールを用意します。スケールの上に和紙を当てます。今回は12分割（12コマ）の等分印を付けるため、まず上の両端の角をスケールの0と12の線に斜めに合わせて置きます。

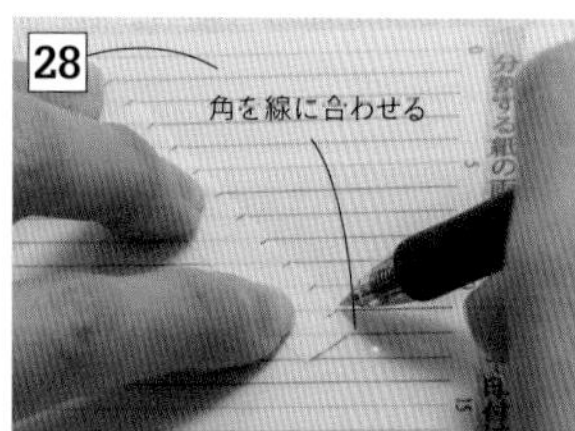

等分印を付けていきます。この時等分印は、和紙の辺に対して直角になるように付けます。

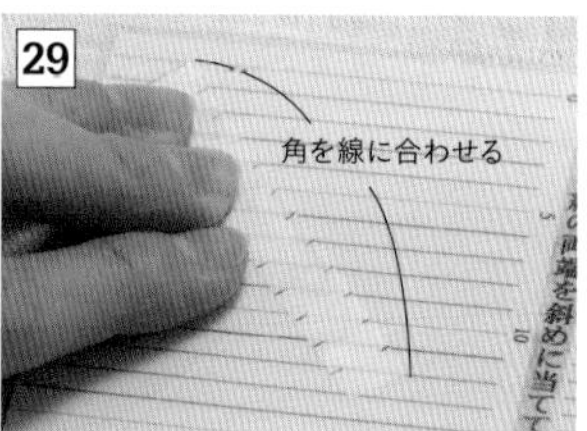

和紙を回転させて、反対側の辺にも同様にして等分印を付けていきます。

POINT >分割数が多くなると、和紙の長さがスケールに届かなくなります。その場合は右の、等分の幅が短い方のスケールで印を付けます。写真は16分割の等分印を付けたもの。

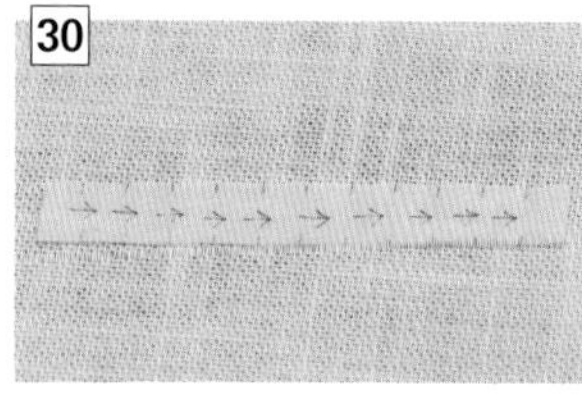

和紙に進行方向の矢印を書きます。かがるうちに見えなくなっていくので、矢印は小さめに、数を多く書きましょう。

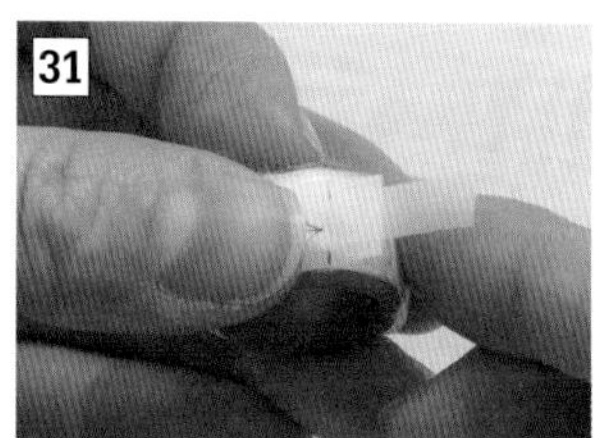

和紙をしんに巻きつけ、和紙の端と端を突き合わせるようにして、メンディングテープできっちりと貼ります。

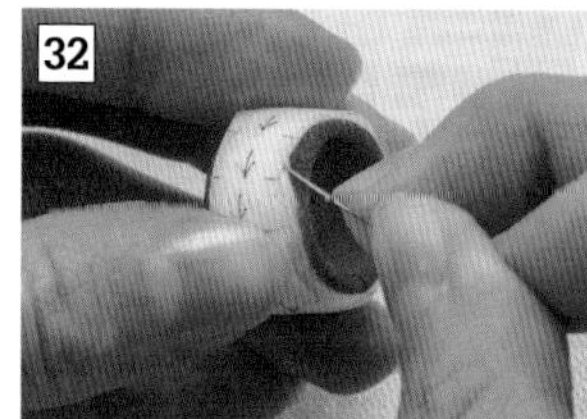

針をすべらせるように使って、しんを回転させながら、和紙から出ている真綿を内側に入れ込みます。

土台のゆびぬきのできあがり。

ゆびぬきを作り始める前に

かがる時の基本

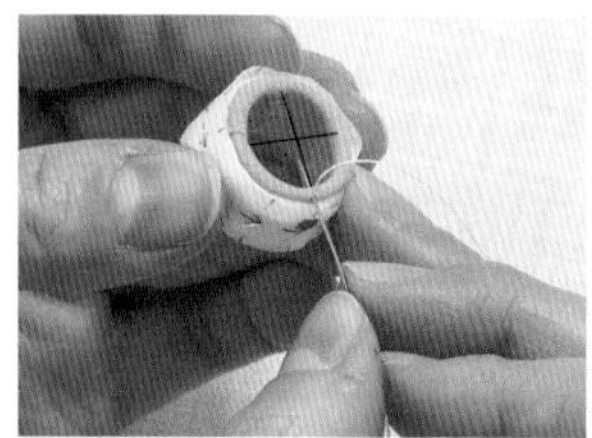

親指と人差し指で針を持ち、中指を針の上に置きます。薬指でゆびぬきに軽く触れて支えます。天面から糸を出す時は、針先をゆびぬきの円の中心に向けて刺すようにします。

糸のクセ直し

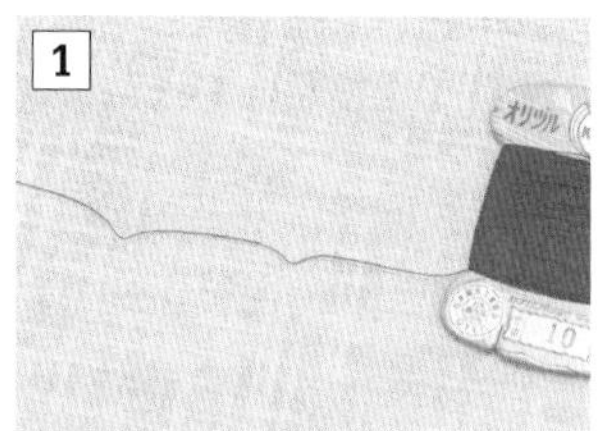

糸は糸巻きから外した直後は折りグセが付いています。

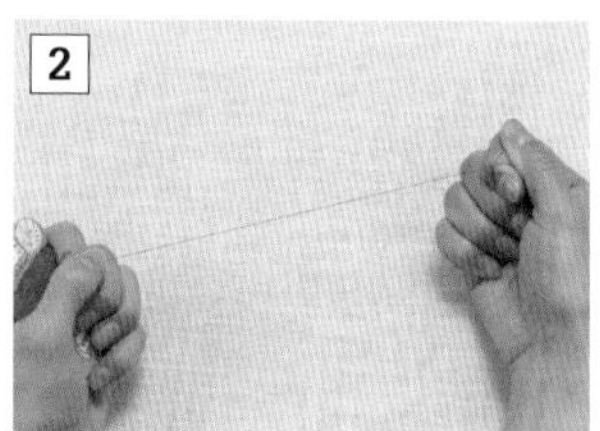

糸を1m程度出します。糸端を指に巻きつけ、もう片方の手で糸巻きを持って左右にピンと引っ張ります。糸端を持っている方の親指で糸を弾きます。

作り方と製図の見方

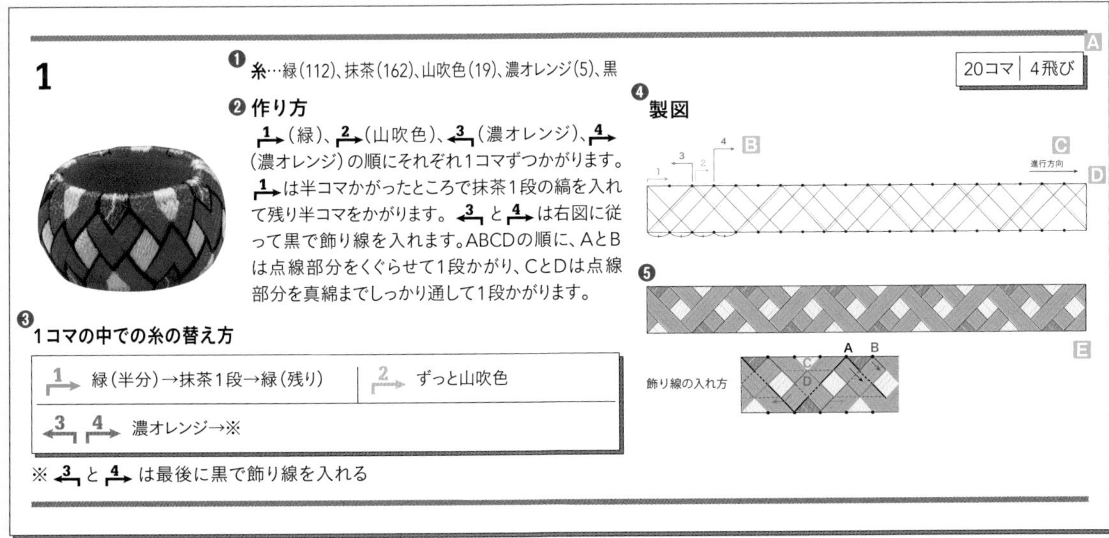

1
❶ 糸…緑(112)、抹茶(162)、山吹色(19)、濃オレンジ(5)、黒
❷ 作り方
1(緑)、2(山吹色)、3(濃オレンジ)、4(濃オレンジ)の順にそれぞれ1コマずつかがります。1は半コマかがったところで抹茶1段の縞を入れて残り半コマをかがります。3と4は右図に従って黒で飾り線を入れます。ABCDの順に、AとBは点線部分をくぐらせて1段かがり、CとDは点線部分を真綿までしっかり通して1段かがります。
❸ 1コマの中での糸の替え方
1 緑(半分)→抹茶1段→緑(残り)
2 ずっと山吹色
3 4 濃オレンジ→※
※ 3 と 4 は最後に黒で飾り線を入れる
20コマ | 4飛び
❹ 製図
進行方向
❺
飾り線の入れ方
A B C D E

❶糸

その作品で使用する糸の色を記載しています。() 内は糸番です。糸は特に指定がない限りカナガワ株式会社のものを使用しています。

❷作り方

大まかな手順を記載しています。製図と併せて作り方を確認しましょう。

❸1コマの中での糸の替え方

作品によって、1コマの中でずっと同じ色の糸でかがる場合と、数段ごとに糸を替えてかがる場合とがあります。この表では、何段ごとに糸の色を替えるかを示しています。この通りにかがると1コマ全て埋まることになりますが、ゆびぬきのサイズによって埋まる段数が変わりますので、段数を調節してください。

❹❺製図

❹と❺をあわせて製図と呼びます。上の図はかがり方を、下の図は図案を表しています。

Aコマ数と飛び数

ゆびぬきの一周をいくつ(何コマ)に等分しているかを「◯コマ」と表します。この図では20等分に分かれているので「20コマ」です。かがる時に「上下1往復で◯コマ進む」ことを「◯飛び」と表します。この図では上下1往復で4コマ進んでいるので「4飛び」です。

B矢印

かがり方について表しています。

- 矢印の数…スタート位置の数です。この図では矢印が4つありますのでスタート位置は4か所です。
- 矢印の上にある数字…スタートの順序を示しています。1から順にかがっていきます。1周してスタートに戻ることを「1段」と呼びます。
- 矢印の向き…糸の並べ方を示しています。右向きの矢印の時は、前段の右隣(進行方向側)に糸を並べながらかがります(並刺し)。左向きの矢印の時は、前段の左隣(進行方向と逆側)に糸を並べながらかがります。左向きの矢印は「開き刺し」の技法の時に出てくるもので、常に右向きの矢印と一対になっています。
- 矢印の高さ…工程の順序を示しています。矢印の高さがどれも同じ場合は、数字の順番に1段ずつ交互にかがりますが、矢印に高さがある場合は一番低いところから順に部分的に仕上げながらかがります。この図ではまず1を1コマ全てかがり、次に2、3、4と1コマずつ順にかがります。矢印の高さの違う作品は「重ね刺し」の技法です。
- 矢印の色…そのコマの1段めの糸の色を表しています。

C進行方向

かがる時の方向を示しています。この本では全て右方向になっています。

D図案の両端のアルファベット

まわし刺し(40ページ参照)の時に、糸が途中で途切れるところにアルファベットの合印を入れています。図案の右端でAで終わっている線は、左端のAの線に続いています。

E図案の斜線

糸の方向を示しています。本数は段数を示しておらず、方向のみになります。

並刺しのゆびぬきを作ってみましょう

b-1

10コマ｜2飛び

糸……白、ピンク（795）

事前に準備しておくこと
「ゆびぬきを作り始める前に」（34ページ参照）を見て、糸のクセ直しをし、かがり方の基本をチェックしておく。

製図

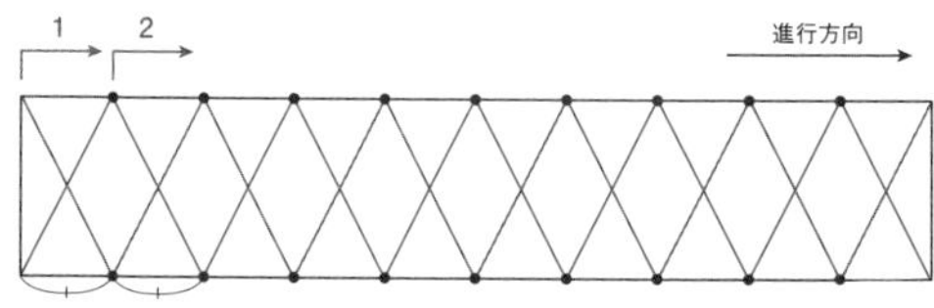

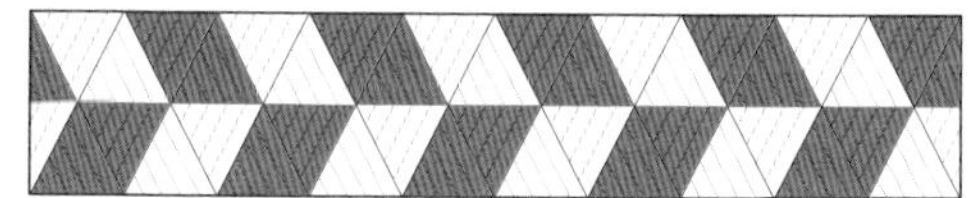

くっきりと仕上げたい時は、薄い色から順にかがっています。

1コマの中での糸の替え方

1	ずっと白
2	ずっとピンク

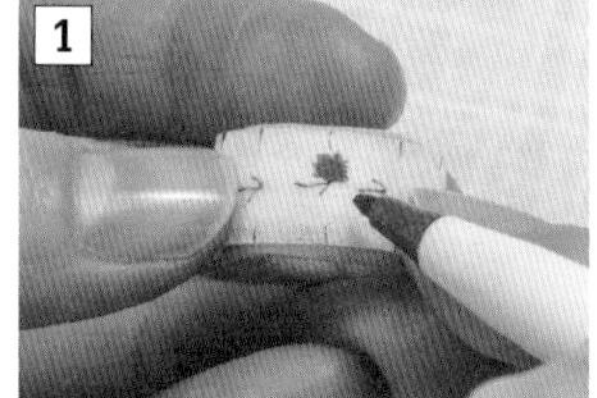

31ページを参照して土台のゆびぬきを1個用意します。等分印は10コマにします。赤ペンで等分印の下に印を付け、スタート位置にします。

CHECK > スタート位置は和紙の継ぎ目ではない部分にしましょう。

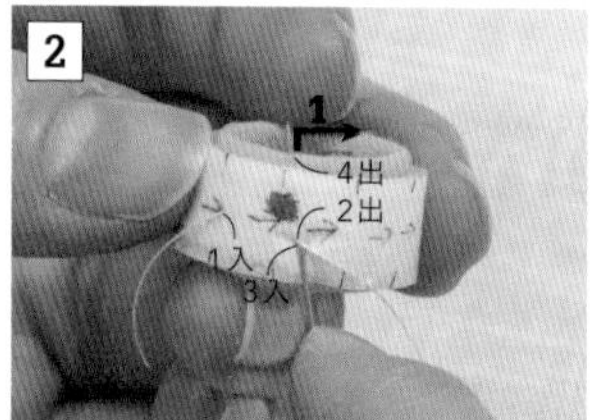

白の糸約100cmを玉結びをせずに針に通します。土台の中央部分にまず針を入れ、2で出します。2と同じところに再度針を刺し（3）、4でスタート位置のバイアス布に針を出します。

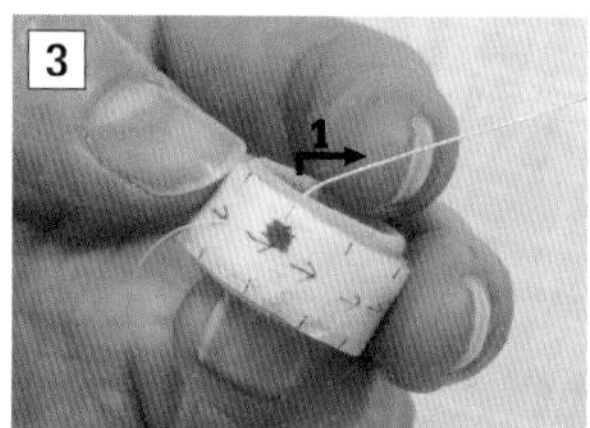

針を抜きます。この部分が製図の 1 の部分になります。

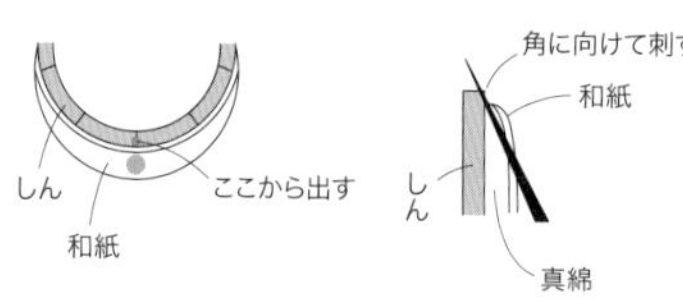

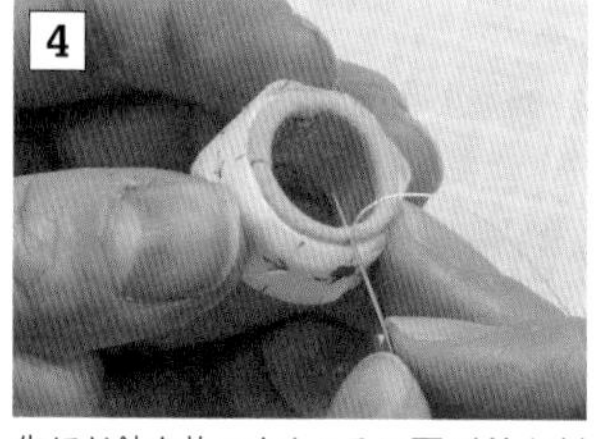

先ほど針を抜いたところに再び針を刺し、土台の天面をすくいます。この時、円の中央に向かって刺すようにします。

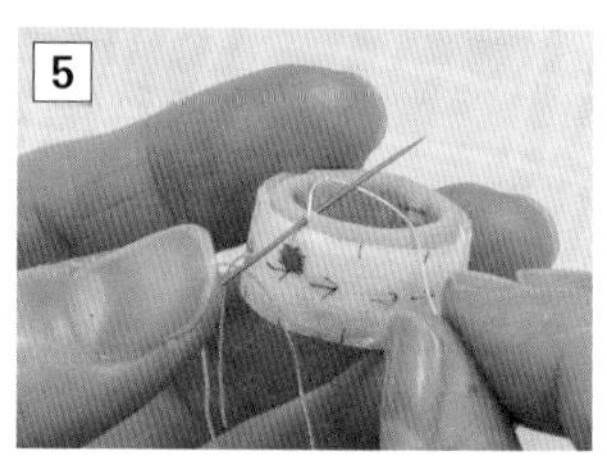

進行方向（左から右）に向かって、糸を針の下にかけます。

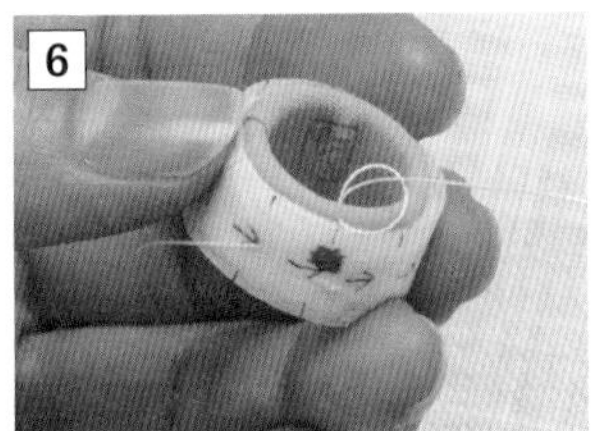

針を抜き、糸を引きます。

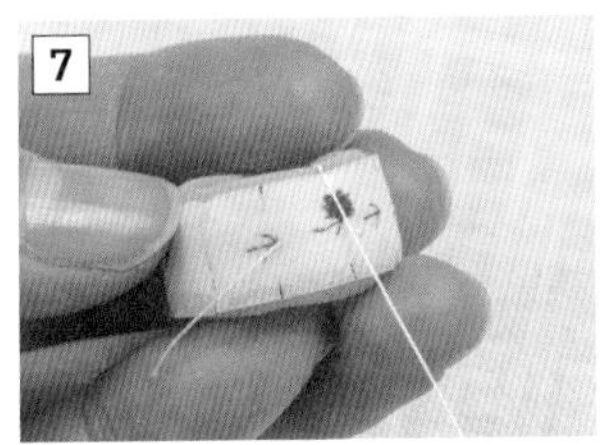

糸を真下に引きながら引きしめます。

5,6,7の手順

6出
5入

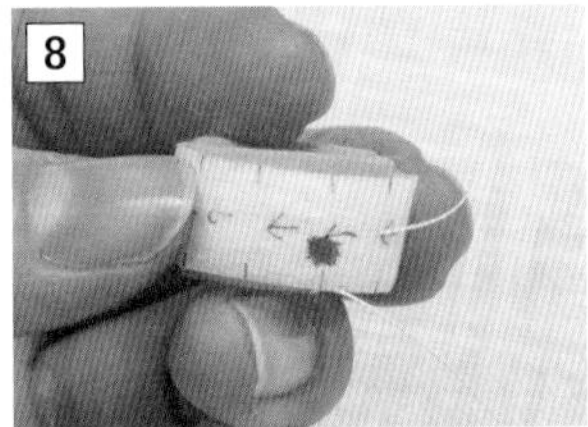

右手は針を持ったまま、かがりやすくするためにゆびぬきの上下を逆にします。

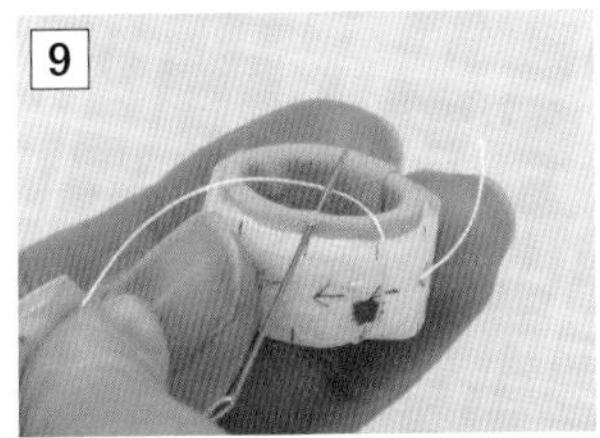

製図に沿って次の印のバイアス布に針を入れ、進行方向側に（右から左へ）糸をかけてかがります。

9のかがり位置

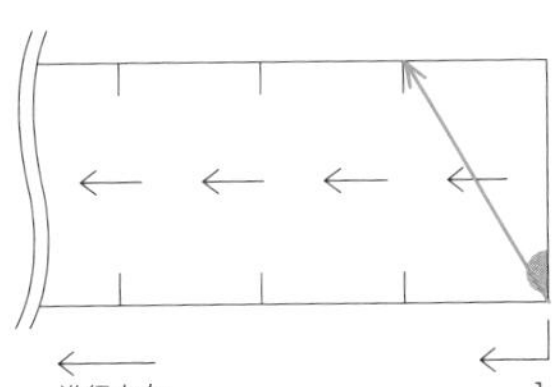

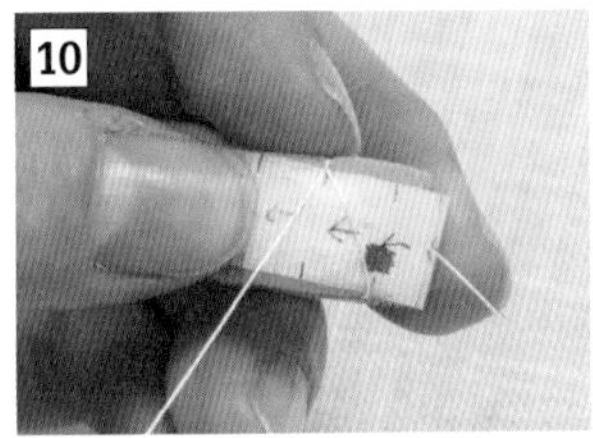

糸を下に引きながら引きしめます。

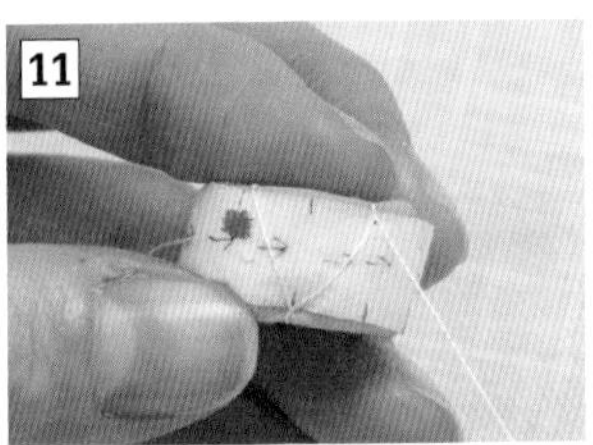

ゆびぬきの上下を元に戻し、次の印のバイアス布に針を入れ、進行方向側に（左から右へ）糸をかけます。糸を下に引きながら引きしめます。

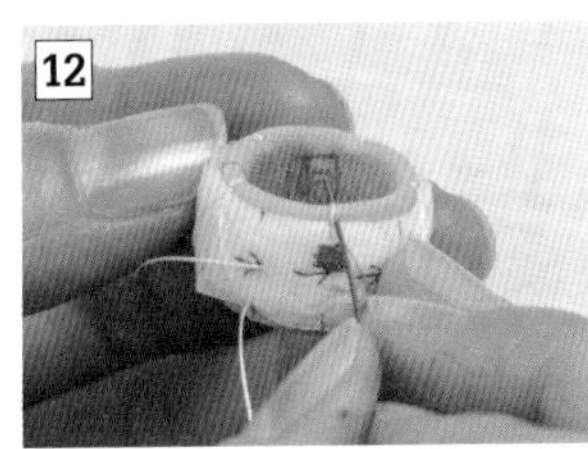

8〜11を繰り返してスタート位置まで戻ります。スタート位置では、前の糸の右隣のきわに針を刺して糸をかけます。

かがり終わりの刺し位置

CHECK > 刺し始めの糸が等分印から少しずれてしまうことがあります。印に糸を寄せるようにして刺し、場所を調整します。

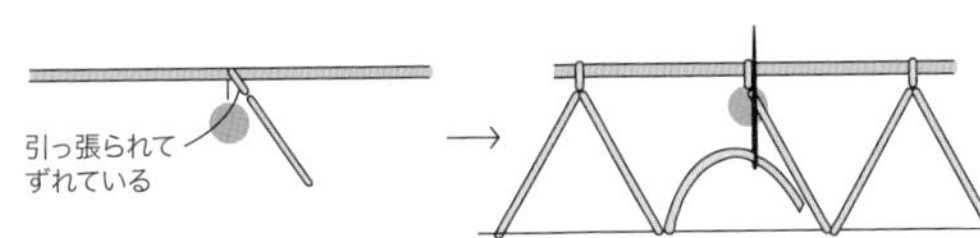

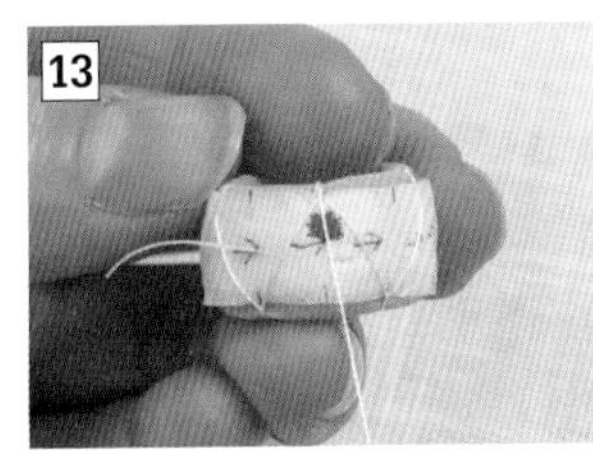

糸を下に引きながら引きしめます。これで白の糸の1段めができました。

1段めのかがり終わり

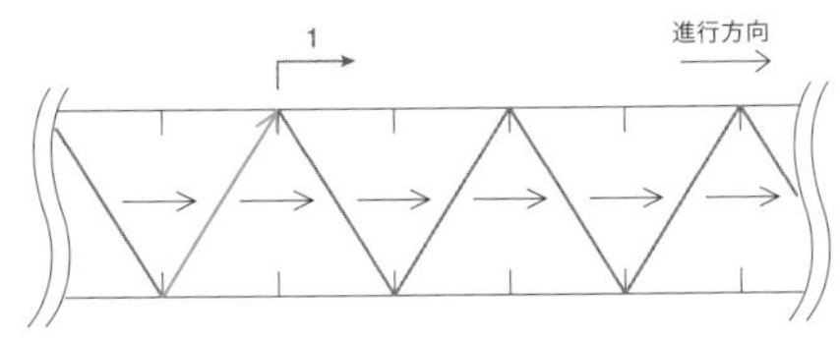

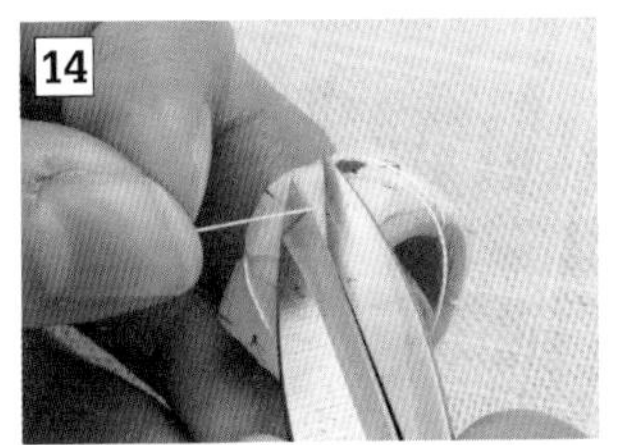

刺し始めの余り糸を切って処理します。糸を引っ張りながら、はさみを押し付けるようにして切るときれいに切れます。

針を2本持っている場合、白の糸は針に通したまま針山に休めておきます。針が1本しかない場合は糸を針から抜き、ピンク色の糸を付けます。

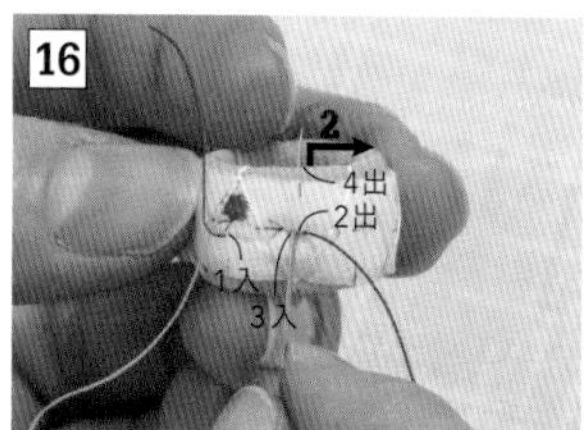

ピンクの糸約100cmを玉結びをせずに針に通します。2の時と同様にして針をバイアス布に出します。この部分が製図の 2→ の部分になります。

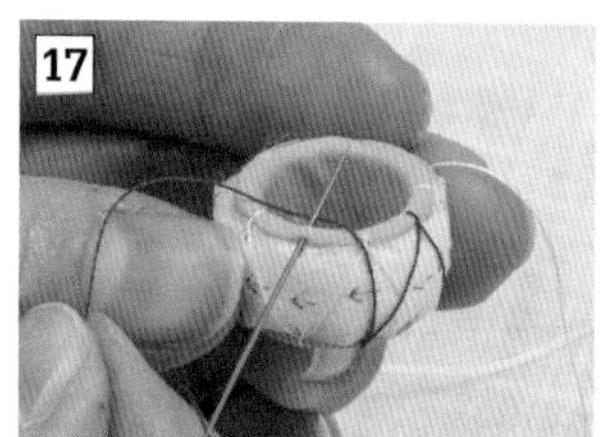

白の糸と同じ要領で、ゆびぬきの上下を回転させながら1コマずつ進行してかがります。

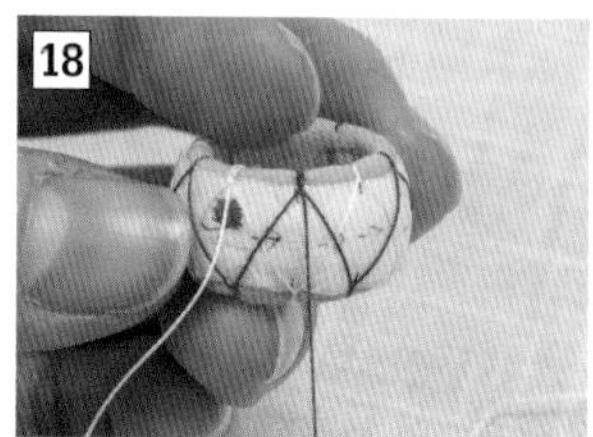

スタート位置まで戻ります。白の糸の時と同様に、かがり終わりのスタート位置では前の糸の右隣に針を刺して糸をかけます。糸を下に引きながら引きしめます。これでピンクの糸の1段めができました。

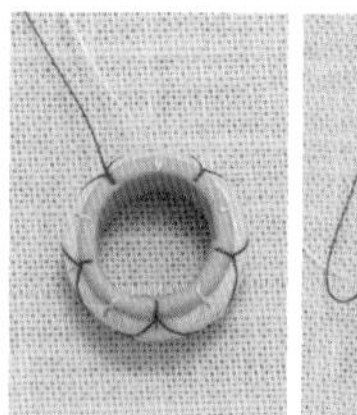

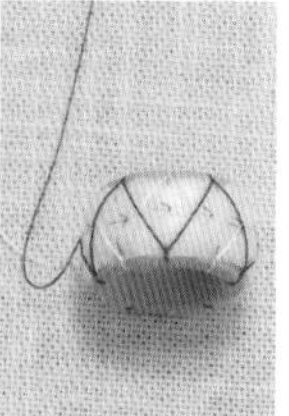

POINT > 各糸の1段めがかがり終わった時に、天面からかがり目を見てみましょう。きちんと等分になっているか確認し、ずれている時はもう一度最初からかがり直します。ゆびぬきの天地を回転させて逆側の天面からも同様に確認します。真横からも確認して、上下の等分印がずれていないか確認します。

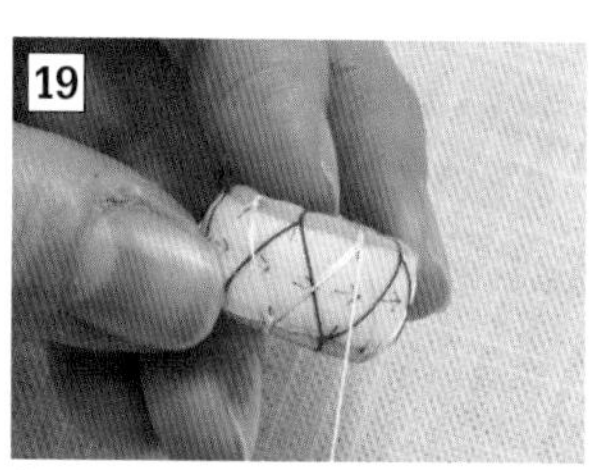

白の糸で2段めをかがります。刺し方は1段めと同様です。糸が進行方向へ増えていくように並べながらかがっていきます。

2段めのかがり方

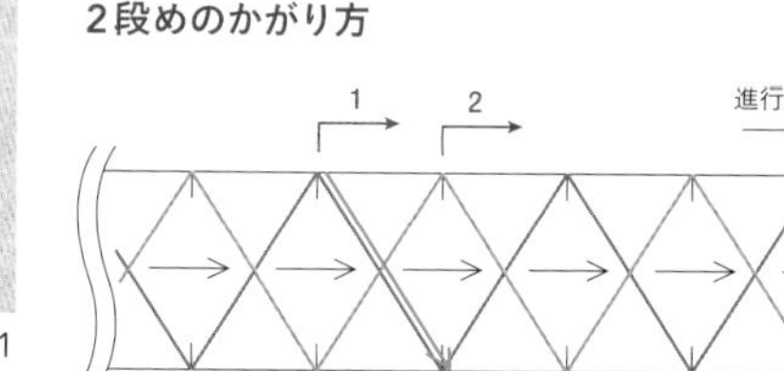

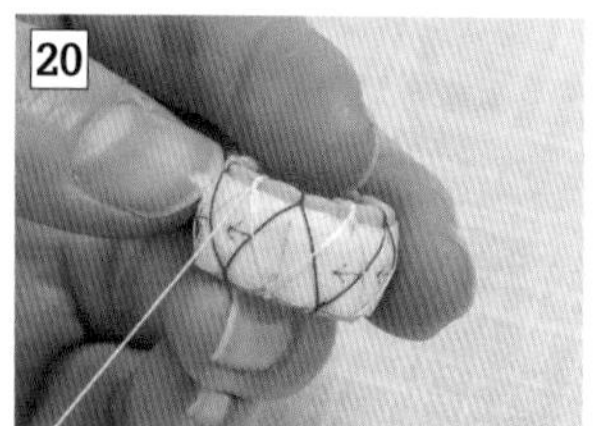

ゆびぬきを回転させてかがる時も、常に新しい縫い目が進行方向側に来ていることを確認します。このまま一周させます。

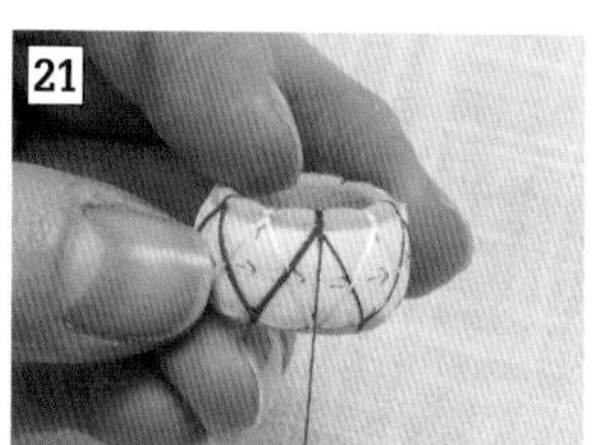

ピンクの糸で2段めをかがります。白の糸の2段めと同様にしてかがります。

以後、白の糸とピンクの糸を1段ずつ交互にかがります。写真は半分くらいまでかがったところ。

半分までかがったところ

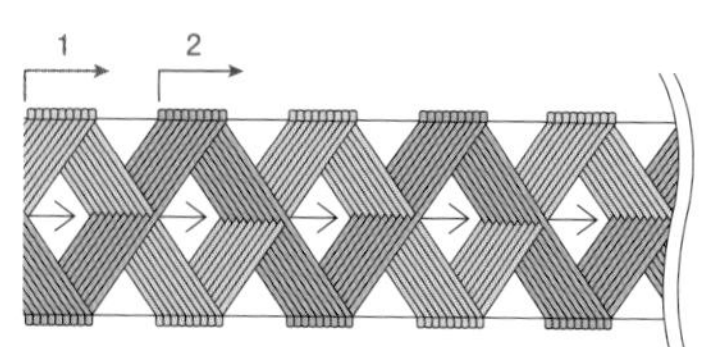

表面が埋まるまでかがり、39ページの「最後の糸処理」の要領で糸を始末します。白の段が終わったら白を、ピンクの段が終わったらピンクを、というように1本ずつ始末します。

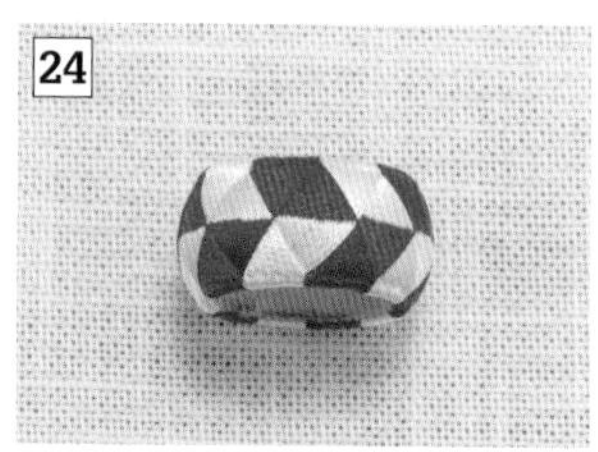

できあがり。

糸継ぎのしかた（途中で糸がなくなった時や、糸の色を替える時）

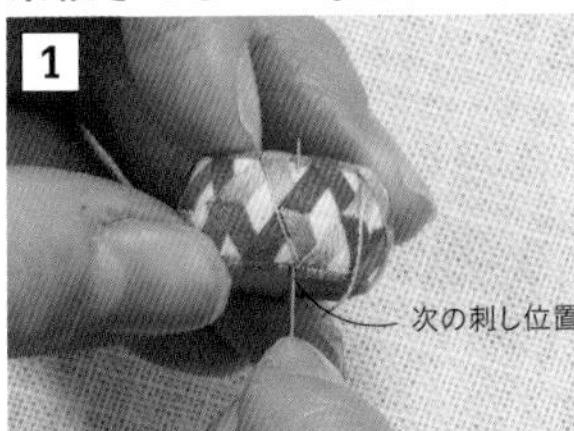

糸がなくなってきたところ。次の刺し位置に針を入れ、糸の渡っていないところに針を出します。

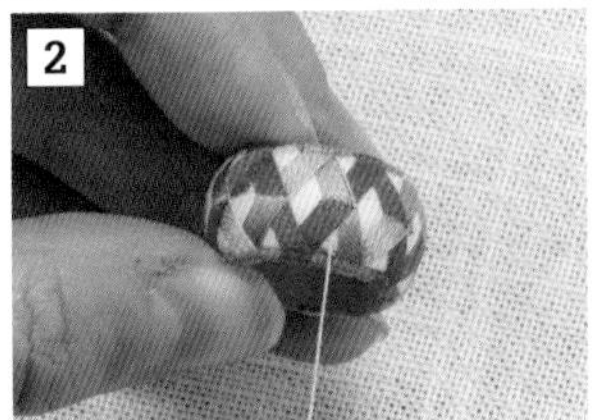

糸を引いて、ゆびぬきの上下を逆にしたところ。

先ほど糸を出したところに再度針を刺し、少し離れた場所に針を出します。

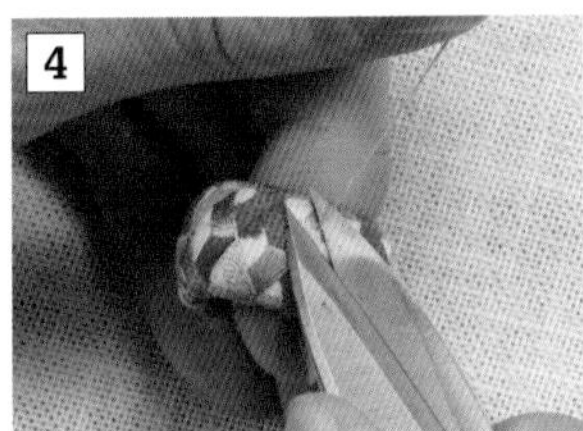

糸を引っ張りながら、はさみを押し付けるようにして切ります。

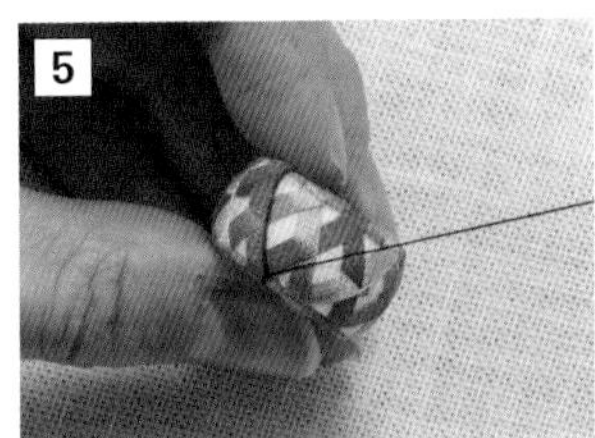

針に新しい糸をつけ、スタートと同じ要領で糸の始末をした位置から刺し始めます。糸の長さが足りない場合はこれまでと同色の糸を、糸の色を替える時は次の色の糸をつけます。

最後の糸処理

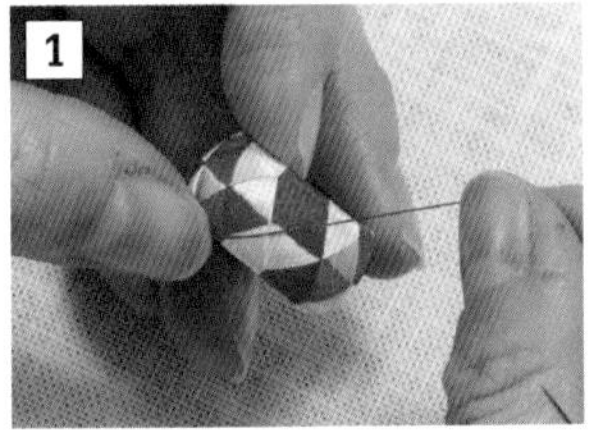

表面が埋まって、ピンクの最後の1段が終わるところ。

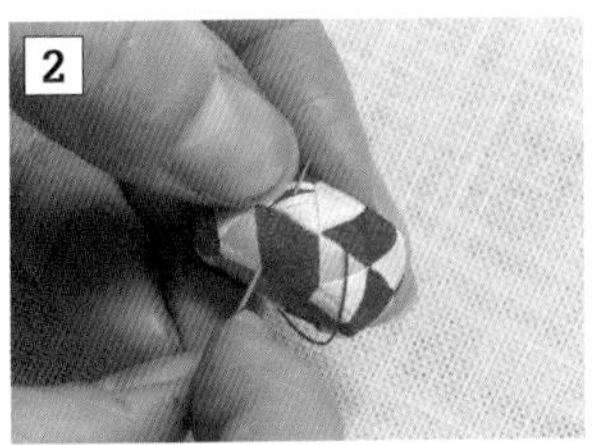

ゆびぬきの上下を逆にし、糸継ぎの要領できわに針を刺し、表面の糸を割って針を出します。

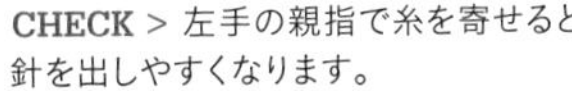

CHECK > 左手の親指で糸を寄せると針を出しやすくなります。

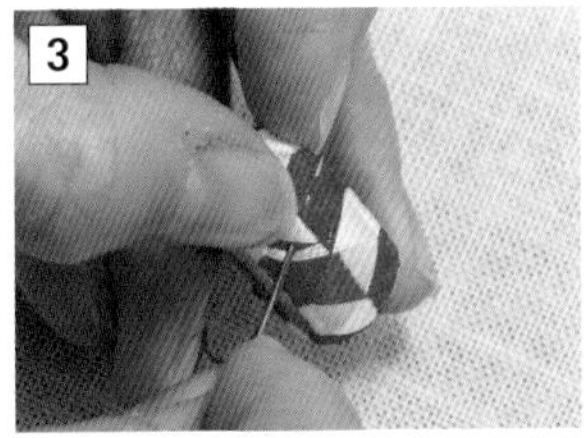

ゆびぬきの上下を元に戻し、2で糸を出したところに再度針を刺し、真綿の中を通って別の場所に針を出します。

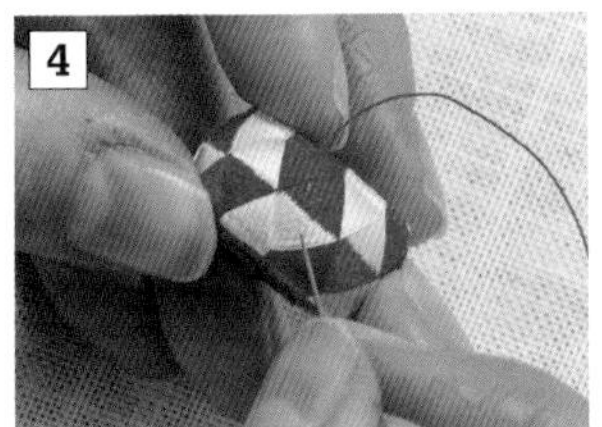

糸を引きます。糸を出し入れしたところの表面は、針先で糸の並びを整えます。

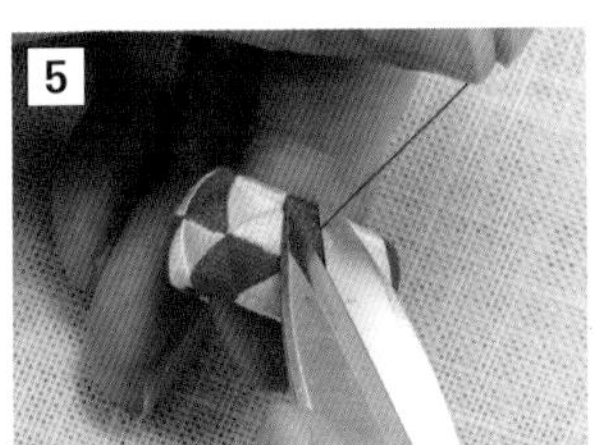

糸を引っ張りながら、はさみを押し付けるようにして切ります。糸の処理ができました。

まわし刺しの技法

この本では多くの製図が「コマ数」÷「飛び数」で割り切れるようになっています。
割り切れる場合は、進行方向にかがっていくとスタート位置に一周で戻ります。
まわし刺しとは、この「コマ数」÷「飛び数」で割り切れない時に、スタート位置に戻るまでくるくるとゆびぬきを回しながら刺す技法のことを言います。
糸の本数が少なくて済むので、効率よく作ることができるという利点があります。また、できあがった模様は上下対称になります。f〜hの青海波などはまわし刺しで作ることの多い代表的な作品です。

矢鱈縞 ⓐ の図案

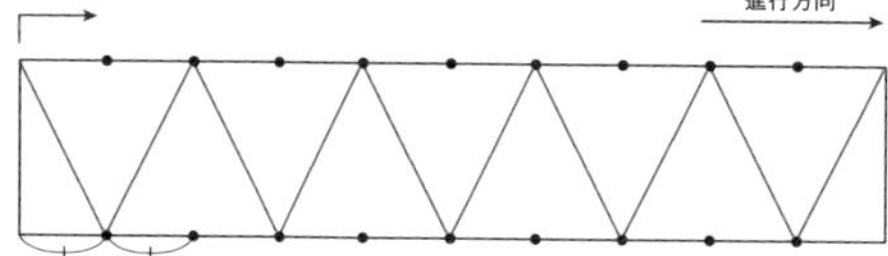

10コマ2飛び
→「コマ数」÷「飛び数」で割り切れる
（まわし刺しをしない）

青海波 ⓗ の図案

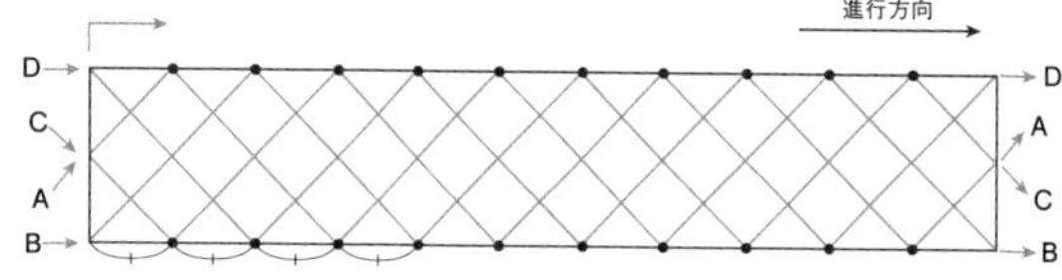

11コマ4飛び
→「コマ数」÷「飛び数」で割り切れない
（まわし刺し）

青海波 ⓗ が12コマ4飛びだった場合

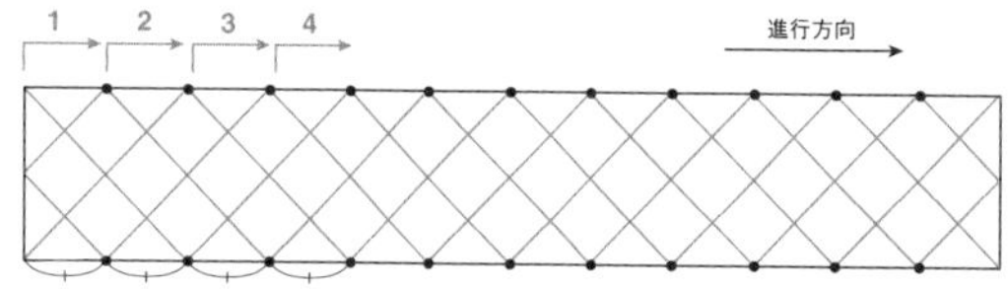

一周でスタート位置に戻るため、
スタート位置が4か所必要になる

まわし刺しのかがり方は並刺しと同じです。
まわし刺しの製図にするためには、スタート位置から
一周して戻ってきた糸が1模様分だけずれるように計算します。

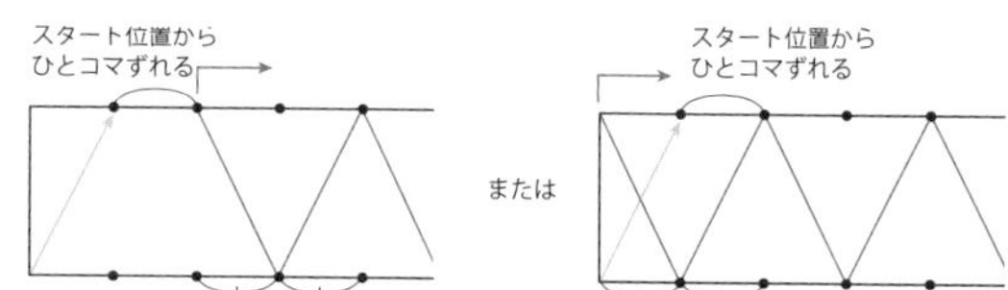

例1：3飛びの青海波（1コマで1模様）を作る場合
→「3の倍数±1」コマの製図にする

例2：4飛びの矢羽根（2コマで1模様）を作る場合
→「4の倍数±2」コマの製図にする

例3：6飛びの金魚（3コマで1模様）を作る場合
→「6の倍数±3」コマの製図にする

3

くぐり刺しのゆびぬき

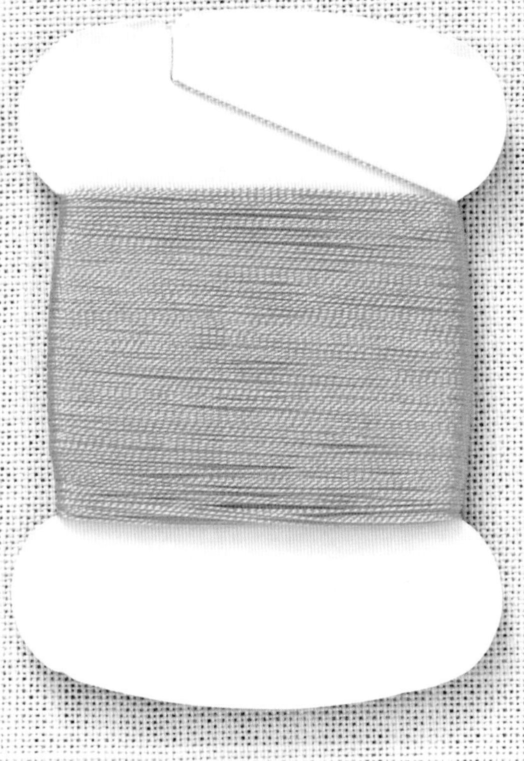

① 市松（いちまつ） ～基本のくぐり刺しで細かさを楽しむ～

くぐらせて、細かな市松をかがります。
くぐらせる本数や色を替えると、印象が変わります。

作り方：46 47 ページ

★この作品の1は44ページで作り方を解説しています

1 市松

2 花
3
4
5

くぐり刺しのゆびぬきを作ってみましょう

ページ

①-1

8コマ | 2飛び

糸……白、ピンク（003）

事前に準備しておくこと
「ゆびぬきを作り始める前に」（34ページ参照）を見て、糸のクセ直しをし、かがり方の基本をチェックしておく。

製図

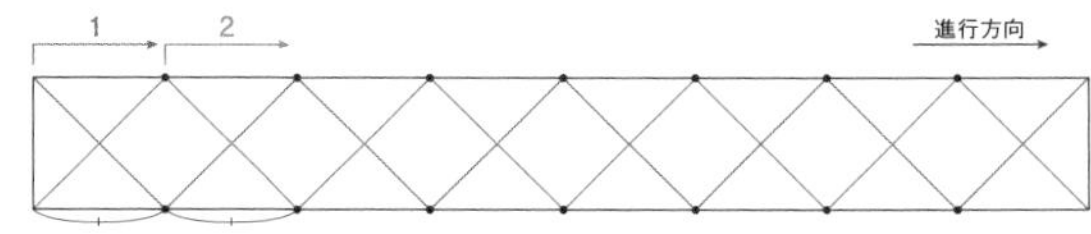

市松の部分の両角には、2→の色がきます。2→の色を濃くした方が引き締まって見えます。

1コマの中での糸の替え方

<市松部分>	<残り>
1→ ずっと白	→ずっと白
2→ ずっとピンク	→ずっとピンク

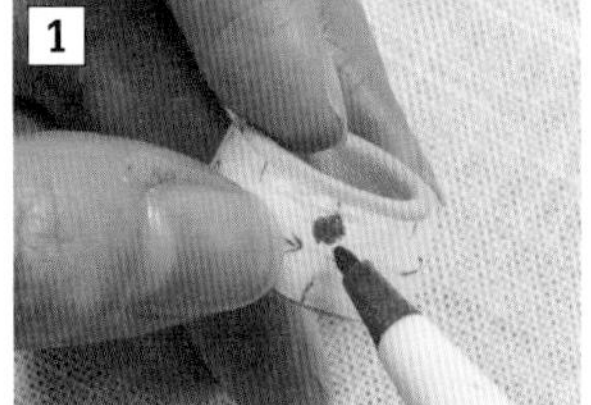

1
31ページを参照して土台のゆびぬきを1個用意します。等分印は8コマにします。赤ペンで等分印の下に印を付け、スタート位置にします。

CHECK > スタート位置は和紙の継ぎ目ではない部分にしましょう。

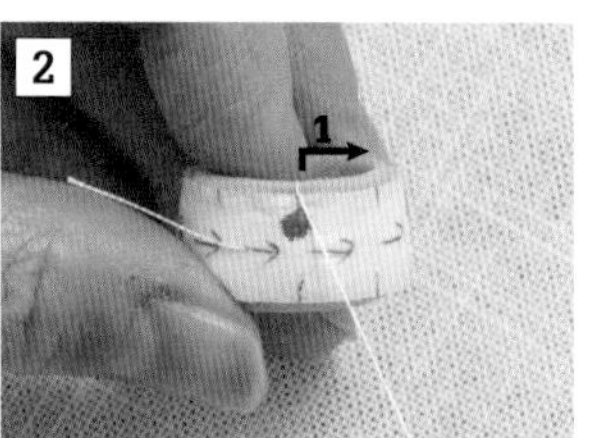

2
白の糸約100cmを玉結びをせずに針に通します。36ページの2〜7を参照してスタート位置のバイアス布に針を出し、糸をかけて引きます。この部分が製図の1→の部分になります。

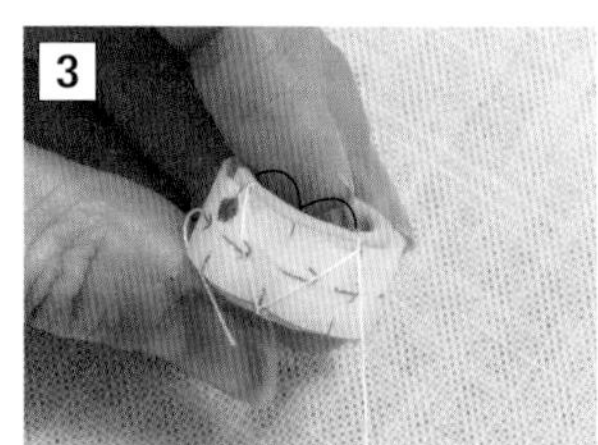

3
製図の通りに2飛びでかがっていきます。

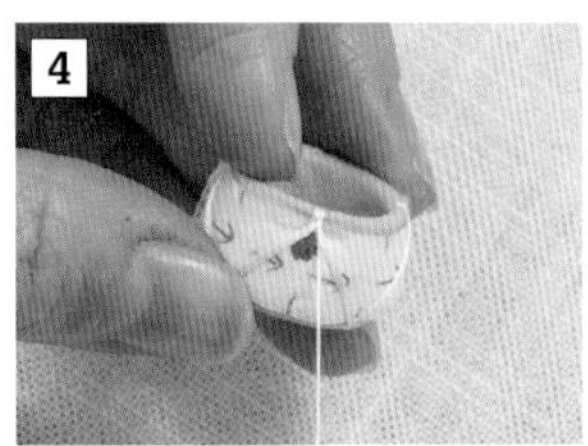

4
並刺しの時と同じ要領で、前の糸の右隣へ糸を並べながら、続けて3段かがります。刺し始めの余り糸を切り、白の糸は針に通したまま針山に休めておきます。

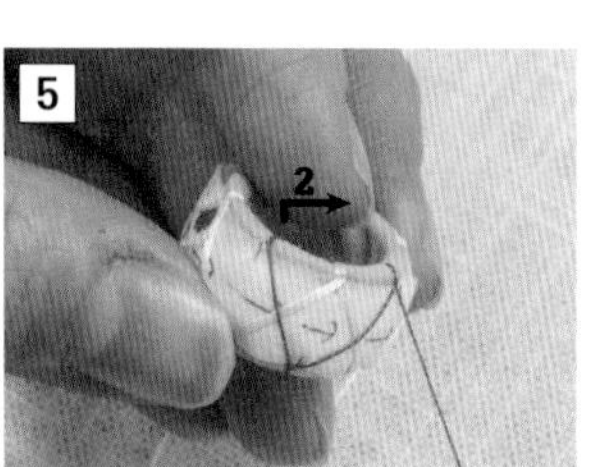

5
ピンクの糸約100cmを玉結びをせずに針に通します。2の時と同様にして針を製図の2→の位置のバイアス布に出します。2、3と同様に2→の位置から2飛びでかがっていきます。

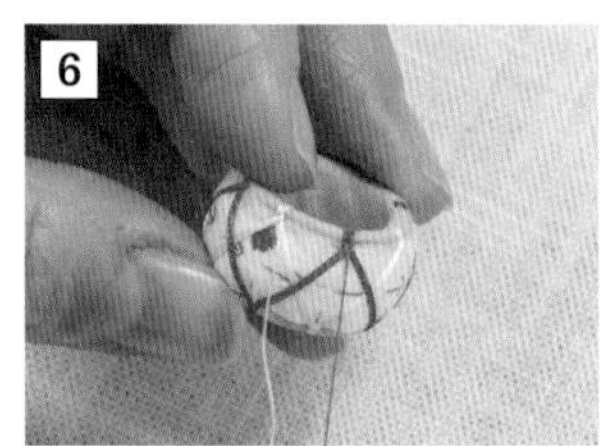

6
白の糸の時と同じ要領で3段かがります。ピンクの糸は針に通したまま針山に休めておきます。

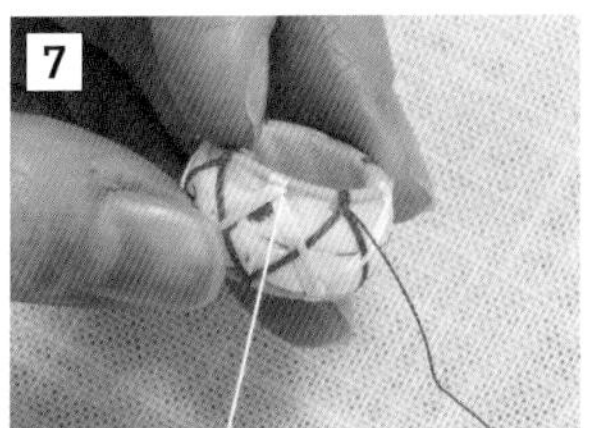

休めていた白の糸で3段かがります。白の糸は針に通したまま針山に休めておきます。

7をかがったところ

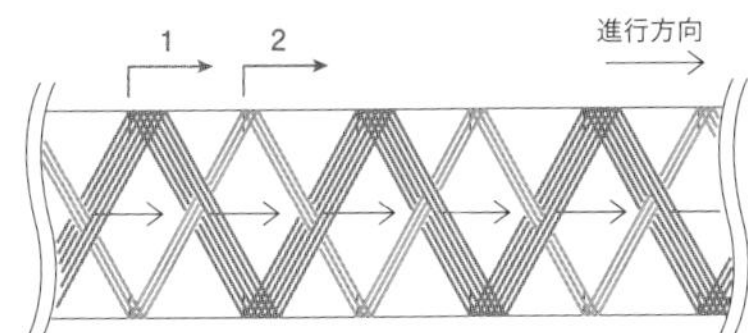

8

休めていたピンクの糸で3段かがります。まずゆびぬきの上下を逆にし、白の糸と交差するところで、手前の3段分の糸の下をくぐらせます。糸を引っ掛けないように、左手の親指で糸を分け、針穴の方から差し入れるようにします。

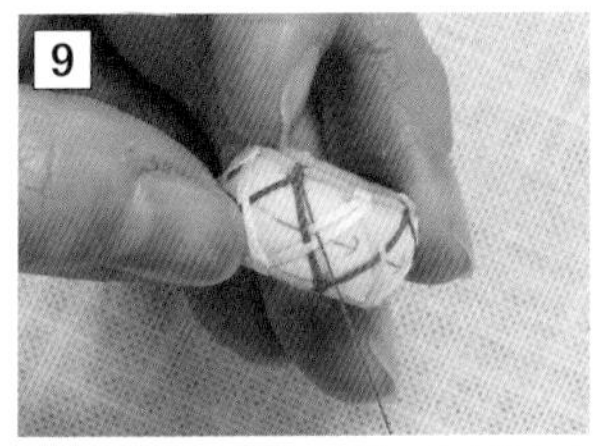

そのあとはそのままピンクの糸を重ねます。最初のくぐりができました。

9をかがったところ

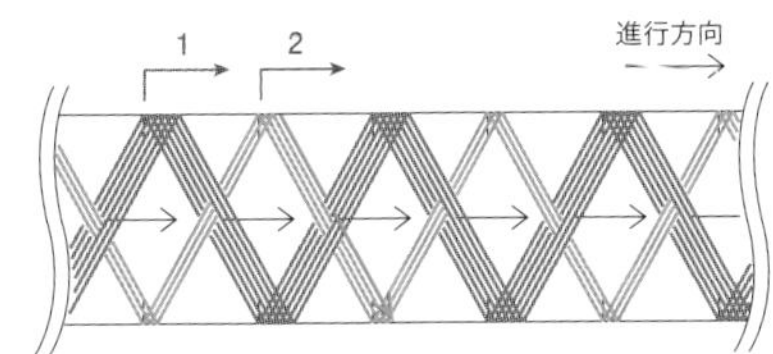

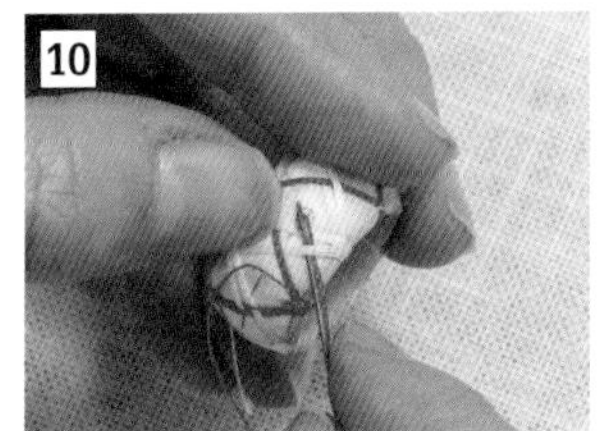

同様に、手前の3段分をくぐりながらかがっていきます。

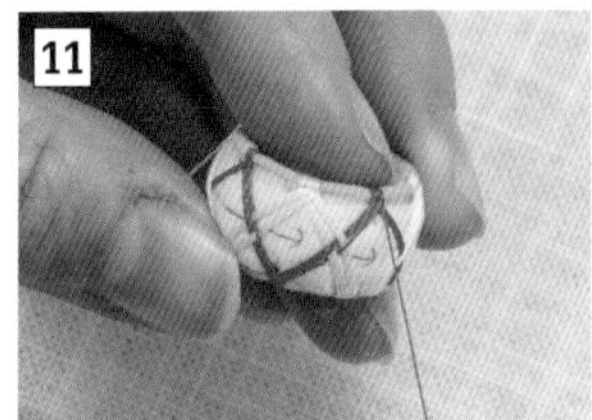

くぐりが1段できたところ。

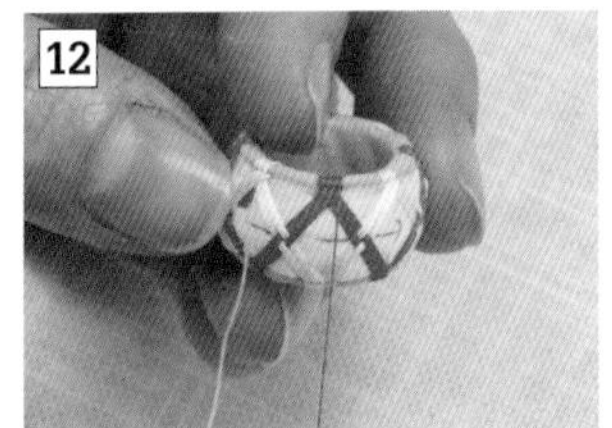

同様にしてくぐらせながらかがり、3段かがります。ピンクの糸は針に通したまま針山に休めておきます。

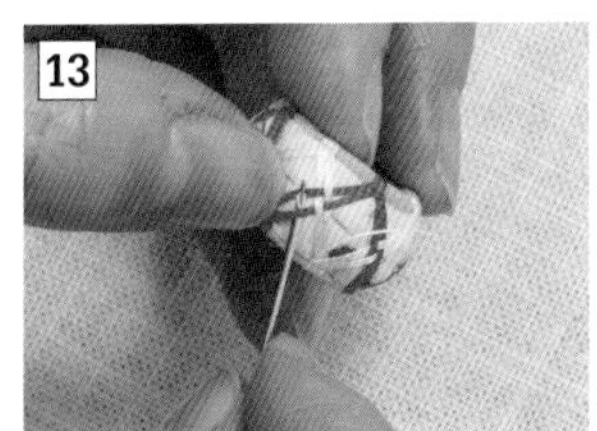

白の糸で3段かがります。ピンクの糸の時と同様に、ピンクの糸の手前の3段分をくぐらせます。

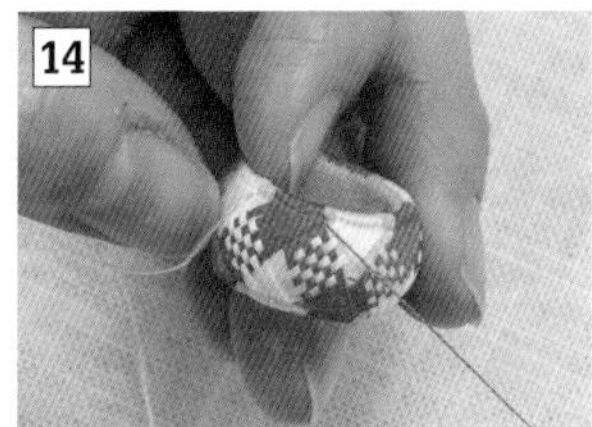

3段ずつ、交互に5回くぐり刺しをします。5×5の25マスの市松模様ができあがります。

残りの部分は、白の糸とピンクの糸を1段ずつ交互に、表面が埋まるまでかがります。

39ページの「最後の糸処理」の要領で糸を始末します。白の段が終わったら白を、ピンクの段が終わったらピンクを、というように1本ずつ始末してできあがりです。

① 市松

Point

糸を締めすぎると、針が入っていきません。土台をざくざく刺してしまってうまくいかないときは、やさしく糸を引くように心がけてみましょう。本数を数え間違うと目立つので、慎重にかがります。

2

8コマ | 2飛び

糸……濃緑(28)、濃オレンジ(176)、薄黄(17)

作り方

1→(濃緑)、2→(濃オレンジ)から始め、市松部分は1→はずっと濃緑、2→は濃オレンジ8段、薄黄5段、濃オレンジ8段で互い違いに相手の色をくぐり、3×3の9マスにします。残りは1→2→とも濃緑で1段ずつ交互に表面が埋まるまでかがります。

製図

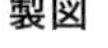

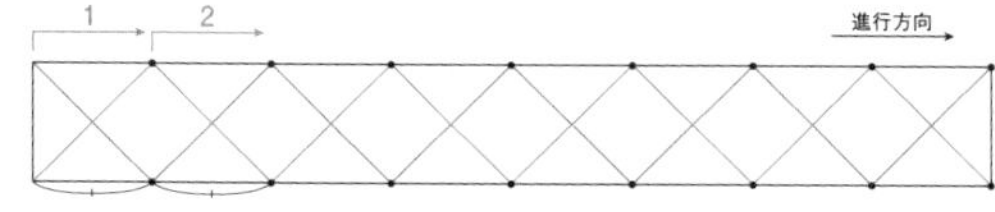

4弁の花に見えるように、くぐる幅を変えて作りました。

1コマの中での糸の替え方

	<市松部分>	<残り>
1→	濃緑8段→濃緑5段→濃緑8段	→ずっと濃緑
2→	濃オレンジ8段→薄黄5段→濃オレンジ8段	→ずっと濃緑

3

8コマ | 2飛び

糸……薄ベージュ(182)、抹茶(160)、白、茶(191)、焦茶(58)、紫(6)

作り方

1→(薄ベージュ)、2→(紫)から始め、市松部分は1→は薄ベージュ3段、抹茶3段、薄ベージュ3段、抹茶3段、2→は紫3段、薄ベージュ3段、紫3段、薄ベージュ3段で互い違いに相手の色をくぐり、4×4の16マスにします。残りは1→2→とも下の表に沿って糸を替えながら1段ずつ交互に表面が埋まるまでかがります。

製図

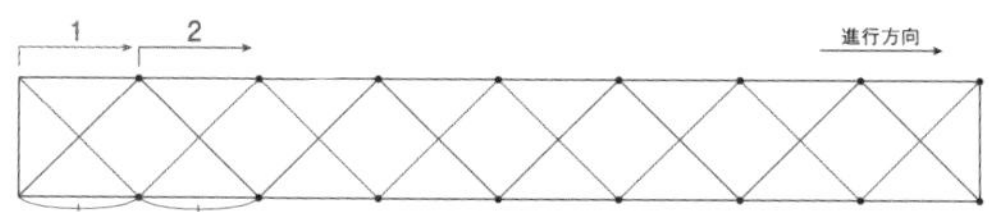

1コマの中での糸の替え方

	<市松部分>	<残り>
1→	薄ベージュ3段→抹茶3段→薄ベージュ3段→抹茶3段	→白1段→ずっと茶→焦茶1段
2→	紫3段→薄ベージュ3段→紫3段→薄ベージュ3段	→白1段→ずっと茶→焦茶1段

4

8コマ | 2飛び

糸……クリーム色(142)、青緑(136)、エメラルドグリーン(139)、青(151)、スカイブルー(20)、群青(40)

作り方

1→(クリーム色)、2→(青緑)から始め、市松部分は1→はずっとクリーム色、2→は青緑3段、エメラルドグリーン3段、青3段、スカイブルー3段、群青3段で互い違いに相手の色をくぐり、5×5の25マスにします。残りは1→はクリーム色、2→は群青で1段ずつ交互に表面が埋まるまでかがります。

製図

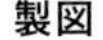

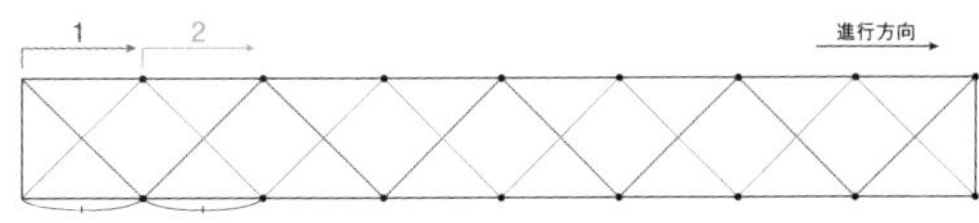

1コマの中での糸の替え方

<市松部分>		<残り>
1→	クリーム色(3段ずつ5回)	→ずっとクリーム色
2→	青緑3段→エメラルドグリーン3段→青3段→スカイブルー3段→群青3段	→ずっと群青

5

8コマ | 2飛び

糸…青(21)、山吹色(19)、白、赤(10)、黄緑(133)、オレンジ(143)、灰黄(9)

作り方

1→(青)、2→(赤)から始め、市松部分は1→は青6段、山吹色6段、白3段、2→は赤3段、黄緑3段、オレンジ3段、赤3段、黄緑3段で互い違いに3段ずつ相手の色をくぐり、5×5の25マスにします。残りは1→は灰黄、2→は白で1段ずつ交互に表面が埋まるまでかがり、最後は1→は白1段、2→は灰黄1段で終わります。

製図

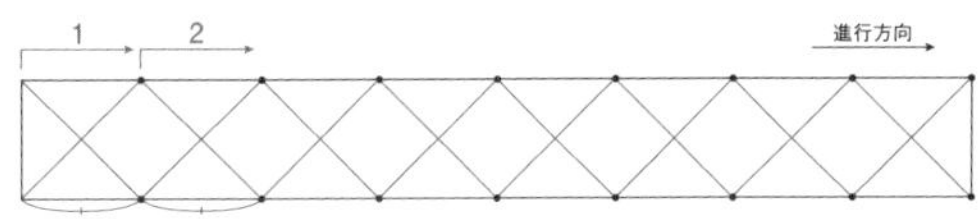

1コマの中での糸の替え方

<市松部分>		<残り>
1→	青3段→青3段→山吹色3段→山吹色3段→白3段	→ずっと灰黄→白1段
2→	赤3段→黄緑3段→オレンジ3段→赤3段→黄緑3段	→ずっと白→灰黄1段

Column 1

大西由紀子さんと加賀ゆびぬきの出会い

初めてのゆびぬき作り

古都・金沢に生まれ育った大西由紀子さん。記憶を辿ると、小さな頃からてまり作家のお祖母様（小出つや子さん）がゆびぬきを作るのを見ていたそうです。ですがお母様がてまりを作るようになっても、大西さんは針仕事には興味のないままでした。

やがて、大学で金沢を離れ札幌へ。初めてのゆびぬきを作ったのは大学生の頃でした。てまり作家であるお母様（小出孝子さん）からピンクと白の二色うろこを教えてもらったことが始まりです。その後、休暇に少しずつ孝子さんからゆびぬきを習うようになりました。「とても楽しかったんです。時間を作っては札幌でゆびぬきを作っていました。札幌に住んでみて、瓦屋根がないこと、障子のある家がほとんどないこと……金沢で当たり前だと思っていたことが、必ずしもそうではないということに気づきました。もちろん、ゆびぬきもありません。そんな違いに触れていくうち、地元のものを手元に置きたい、ゆびぬきを大切にしたいと思うようになりました。」お祖母様が描きためた製図は数百枚。それをもとに、大西さんの作ったゆびぬきはどんどん増えていきました。

そして、大西さんは作りためた加賀ゆびぬきを紹介するホームページを作ります。そのホームページを見て「ぜひ個展をやるべき」と声をかけてくれたのが石井康子さん（現・加賀ゆびぬき結の会主宰）でした。

訪れた転機

石井さんの熱意に突き動かされるように大西さんは個展の準備を始めます。どこで、どのようにゆびぬきを紹介すればよいか……悩む大西さんに石井さんは会場の手配から招待状の準備など、さまざまな面でサポートをしてくれたと言います。そして2004年1月、東京、銀座にて大西さんの初めての個展が開かれました。蓋を開けてみれば会期中に1000人もの人が駆けつけるほどの大盛況で、好評のうちに閉幕。「思えば、この個展が転機だったかもしれません。それまで掛け持ちしていた仕事も辞め、札幌から金沢へ戻る決心をしました。ゆびぬき1本に絞っていくことにしたんです。背中を押してくれた石井さんには本当に感謝しています。」

そこからそれまでほとんど注目されなかった加賀ゆびぬきが、一転して脚光を浴び始めました。新聞社の取材やテレビ出演などを受けるうちに、大西さんは少しずつ自信がついてきたと言います。「加賀ゆびぬきを知ることでこんなに喜んでくれる人がいる、目を輝かせて、綺麗、欲しい、作りたいと言ってくれる人たちがいる……そのことがとても新鮮で、嬉しいことでした。」こうして加賀ゆびぬきは、少しずつ広まりを見せていくことになるのです。

ゆびぬきと共に生きる大西さんは、今日もまた古典柄から創作模様まで、日々さまざまなゆびぬきを作り続けます。

毬屋とゆびぬきのこれからのこと

「加賀てまり 毬屋」は南町大通りにあるてまりとゆびぬきのお店。大西さんの母であり、てまり作家の小出孝子さんがてまりを、大西さんがゆびぬきを教え、その生徒さんが作った色とりどりの作品を販売しています。教室には東京や神戸からも生徒さんが通ってくるほどの人気です。また、大西さんは金沢での教室のほかに、札幌、関西などでも教室を持ち、多方面でのゆびぬきの啓蒙に力を入れられています。お教室に通えない人でも、毬屋に事前に予約すれば、ゆびぬき作りの1日体験講習を受けることができます。

教室を開講することで、ゆびぬきを人に教えるということの難しさも感じました。自分が作る時は簡単でも構わない製図も、読み方や描き方が分からなければゆびぬきを作り出すことも、後世へ伝えることもできません。生徒さんには製図を自分できちんと描けるよう丁寧に指導を続けています。

お店での売れ筋はなんといっても赤やオレンジ系のゆびぬき。模様は青海波や縞などが人気だとか。美しいゆびぬきを求めて、全国各地から、遠くは海外からもお客さんが足を運びます。大西さんは昼間はお店に出ることが多いため、自分の作品作りはもっぱらお店を閉めた夜から行っています。大西さんが好きな柄はうろこ模様。さまざまな複雑な創作模様を生み出しながらも、やはり気持ちは古典柄に落ち着くのだそう。「他の柄と違って、うろこは使った糸の色がまんべんなく出るんです。そういったところが好きみたい。」ひと針ひと針、丁寧に作られたゆびぬきは少しずつ数を増やし、今では1000個を優に越える作品が大西さんの手から生まれました。

毬屋がてまりやゆびぬきの情報発信の場となり、全国津々浦々から、ひいては世界中の人々からの声が行き交う場所になってほしい、と大西さんは願っています。

❶大西さんのコレクションから。昭和初期に作られたと思われる京都のゆびぬき。かつては加賀地方だけでなく、全国各地にこういった手作りのゆびぬきが存在していた。❷兵庫県の城崎地方に伝わる「麦わら細工」。麦わらを染色し筒状にしたもの。❸大西さんがかつて北海道に住んでいたことが縁で手に入れた、アイヌ地方の針入れ「チシポ」。硬貨の穴に結び付けられた布部分に針をしまい、木製の筒の中に収納して保管する。かつてアイヌ地方では針はとても貴重品だった。❹毬屋ではゆびぬきやてまりなどの完成品に加えて、絹糸やバイアス布、副資材などの小物も取り扱っている。裁縫箱として人気の「花嫁小箱」は大西さんも愛用中。❺毬屋から少し歩いた先にある「長町武家屋敷跡」。かつてはここに加賀藩時代の上流・中流階級武士が居を構えていた。毬屋を訪れたら、ぜひ金沢の街も散策してみたい。❻大西さん（右）と母の小出孝子さん。小出さんはてまり作家として教室を開講している。

4

開き刺しのゆびぬき

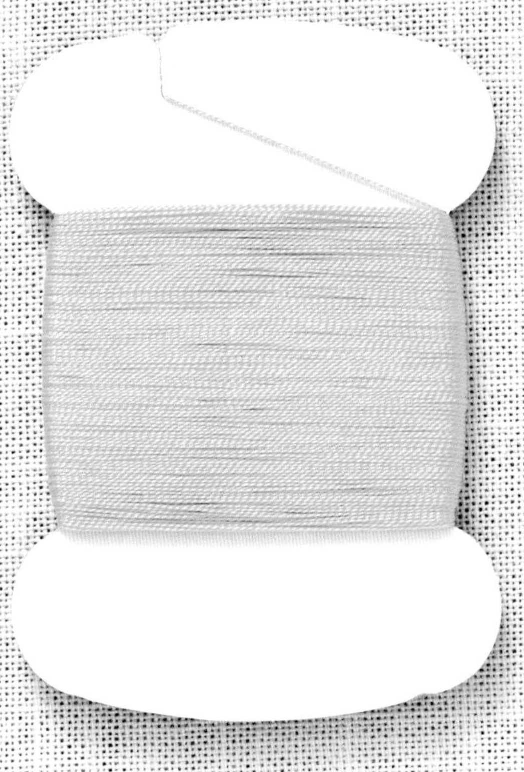

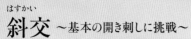

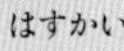

m 斜交 ～基本の開き刺しに挑戦～

開き刺しでは、糸の交差する部分が縦に現れます。
色を替えたときの劇的な変化は開き刺しならではの楽しみです。

作り方：56 57 ページ
★この作品の1は54ページで作り方を解説しています

1 斜交

3
2
4

5 しずく
6

開き刺しのゆびぬきを作ってみましょう

52 ページ

m-1

12コマ | 2飛び

糸……白、水色（136）

事前に準備しておくこと
「ゆびぬきを作り始める前に」（34ページ参照）を見て、糸のクセ直しをし、かがり方の基本をチェックしておく。

製図

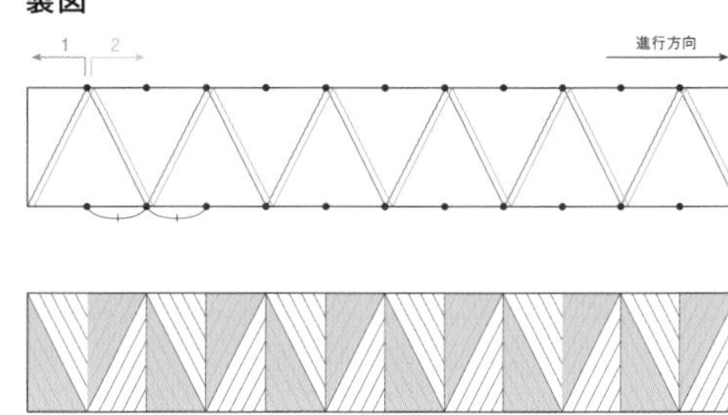

1コマの中での糸の替え方

1	ずっと白
2	ずっと水色

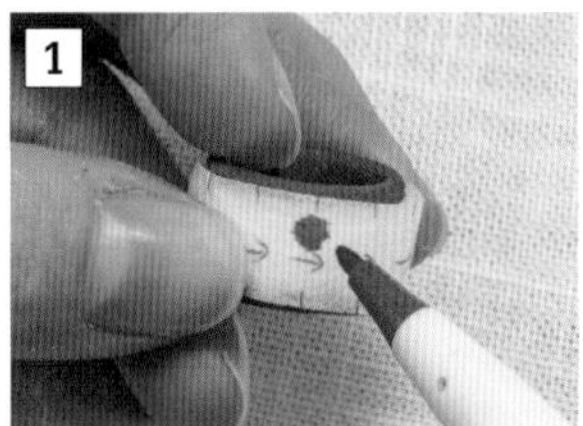

31ページを参照して土台のゆびぬきを1個用意します。等分印は12コマにします。赤ペンで等分印の下に印を付け、スタート位置にします。

CHECK > スタート位置は和紙の継ぎ目ではない部分にしましょう。

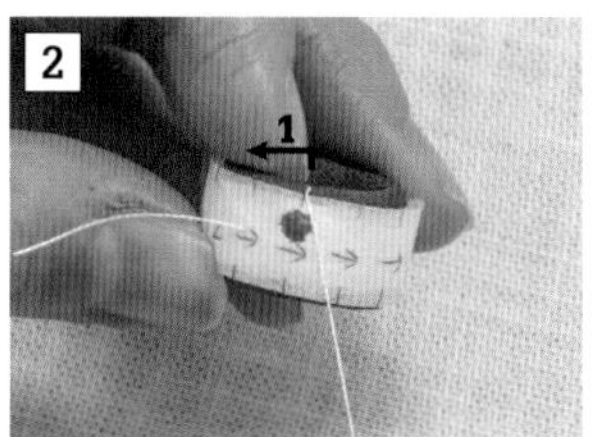

白の糸約100cmを玉結びをせずに針に通します。36ページの2〜7を参照してスタート位置のバイアス布に針を出し、糸をかけて引きます。この部分が製図の 1 の部分になります。

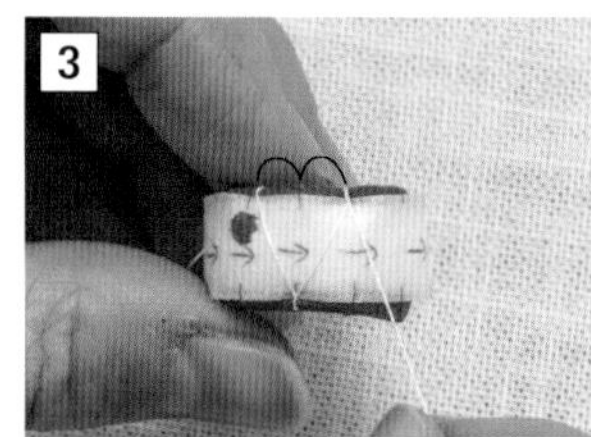

製図の通りに2飛びでかがっていきます。写真は3コマめをかがったところ。

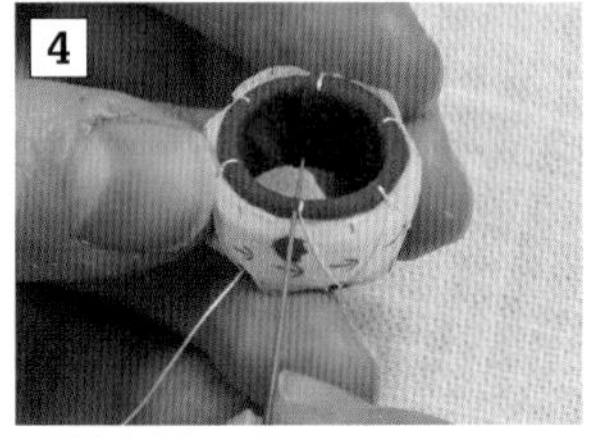

一周してスタート位置まで戻ります。スタート位置では、前の糸の左隣に針を刺して糸をかけます。

CHECK > この針の刺し位置が、開き刺しの他の刺し方との異なる点です。

かがり終わりの刺し位置

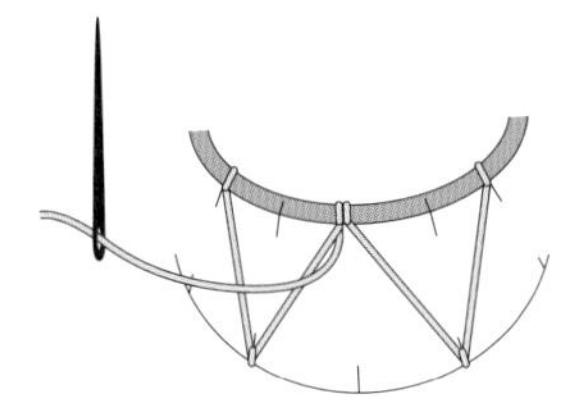

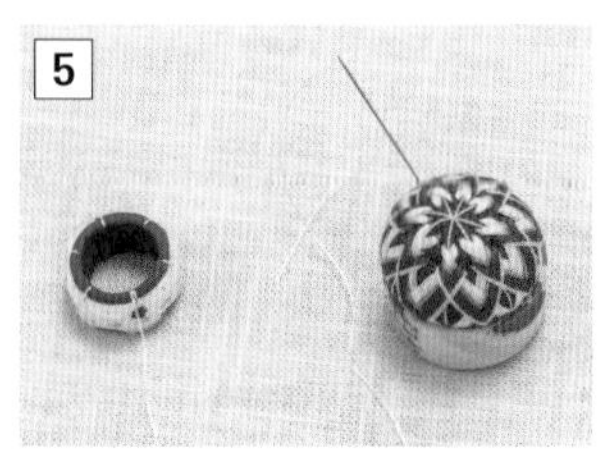

刺し始めの余り糸を切って処理します。白の糸は針に通したまま針山に休めておきます。

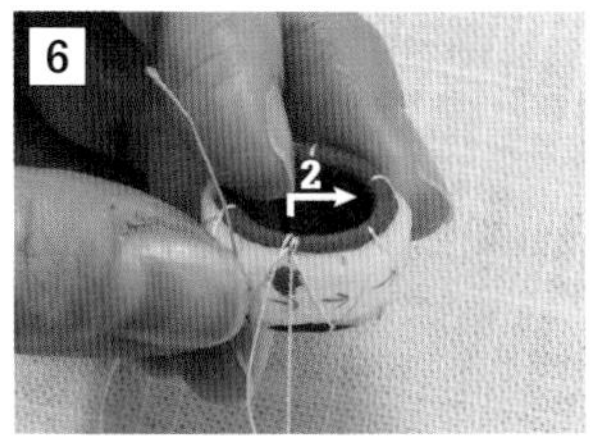

水色の糸約100cmを玉結びをせずに針に通します。2の時と同様にして針をバイアス布に出します。この部分が製図の2→の部分になります。

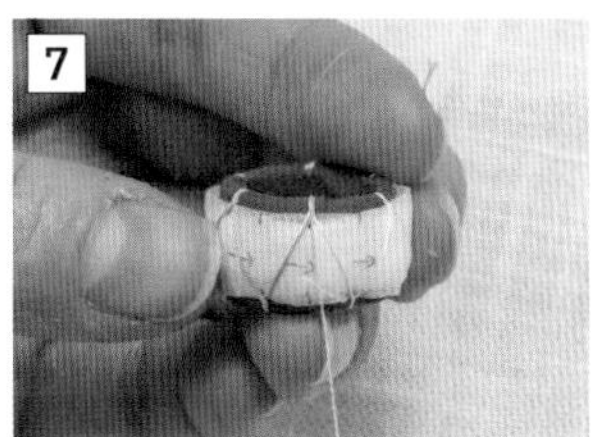

並刺しの時と同じ要領で、白の糸の右隣へ糸を並べながらかがっていきます。

7をかがったところ

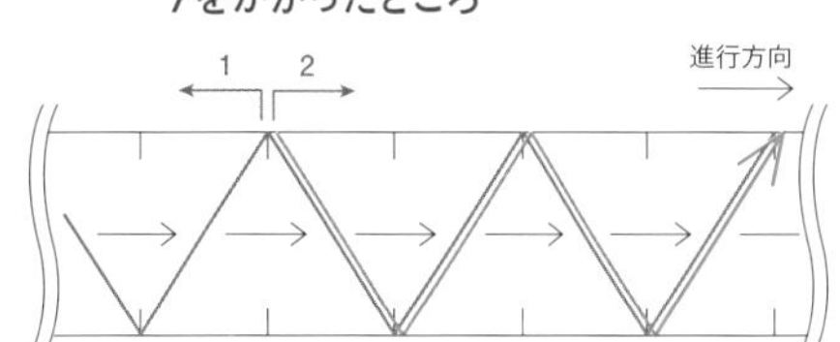

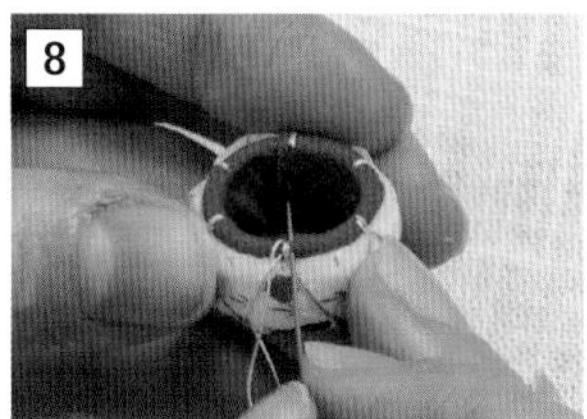

スタート位置まで戻ります。白の糸の時とは逆に、かがり終わりのスタート位置では前の糸の右隣に針を刺して糸をかけます。糸を下に引きながら引きしめます。これで水色の糸の1段めがかがれました。

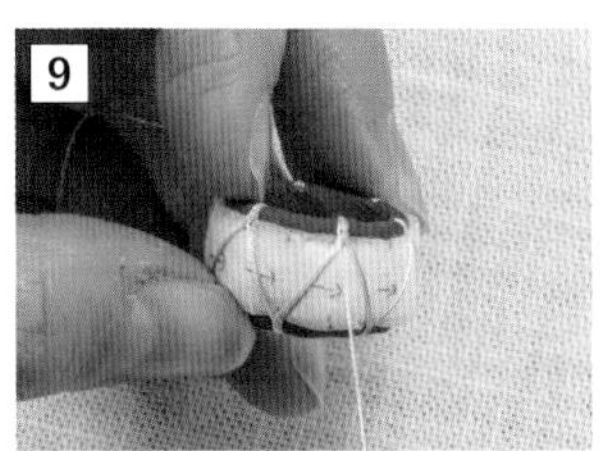

白の糸で2段めをかがります。糸が左並びになるように、1段めの左隣に針を刺しながらかがります。

2段めのかがり始め

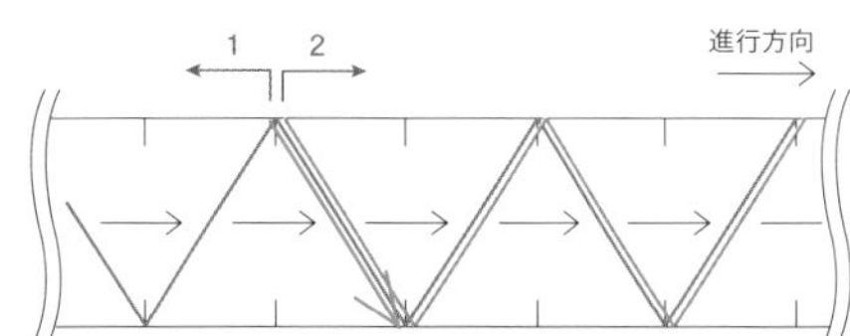

以後、白の糸と水色の糸を1段ずつ交互にかがります。写真は半分くらいまでかがったところ。開き刺しは等分印のところの糸の境目がたてのラインになります。

表面が埋まるまでかがり、39ページの「最後の糸処理」の要領で糸を始末します。白の段が終わったら白を、水色の段が終わったら水色を、というように1本ずつ始末してできあがりです。

最後にひと手間かける

CHECK > 糸をしっかりと詰めて作っていくと、最後に土台にすき間ができることがあります。その時は全体が均等になるよう針の先で糸の流れを整えます。

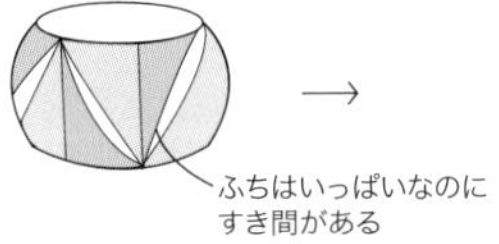

→

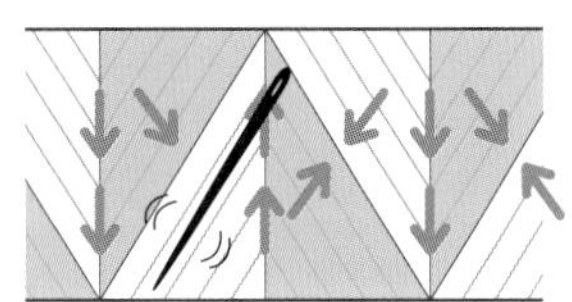

52-53ページ

m 斜交

Point

開く方（左側にかがっていく方）の糸が、幅広くなってしまいがちなので指を添えながらしっかり詰めてかがります。片方だけ縞などを入れる時は、並刺しの方ですると調整しやすいです。

2

12コマ | 2飛び

糸……ピンク(795)、白、黒

作り方

1（ピンク）、2（白）を1段ずつ交互に、表面が埋まるまでかがります。下の表に沿って1 2とも5段ごとに色を替え、最後は1 2のどちらかで白1段で終わります。

製図

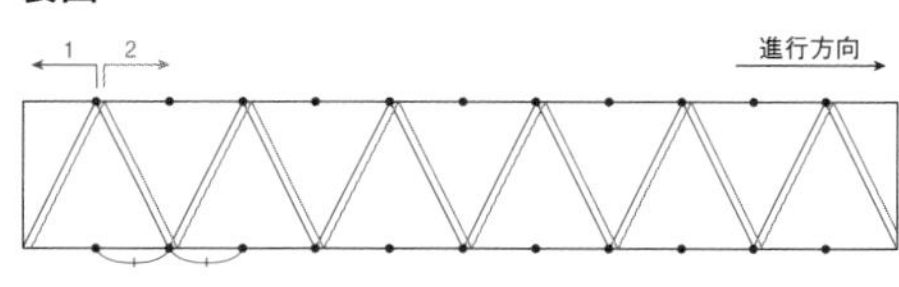

1コマの中での糸の替え方

1	ピンク5段→白5段→黒（残り）→※
2	白5段→ピンク5段→黒（残り）→※

※最後に1 2のどちらかで白1段

3

糸……濃緑(28)、若緑(114)、白、緑(112)

作り方

1（濃緑）、2（白）を1段ずつ交互に、表面が埋まるまでかがります。半コマ進んだところで1は若緑、2は緑に糸を替え、最後は1 2のどちらかで白1段で終わります。

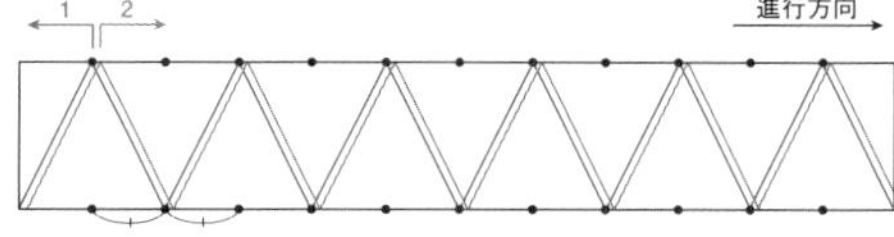

1コマの中での糸の替え方

1	濃緑8段→若緑8段→※
2	白8段→緑8段→※

※最後に1 2のどちらかで白1段

4

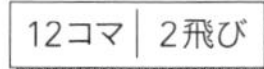

糸……紫(22)、クリーム色(142)、青紫(24)、濃青(144)、黒(41)

作り方

1（紫）、2（クリーム色）を1段ずつ交互に、表面が埋まるまでかがります。下の表に沿って1は3段ごとに色を替えながらクリーム色1段の縞を入れます。1の最後は黒5段で終わります。

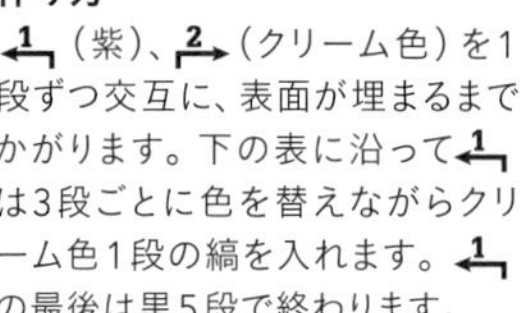

製図

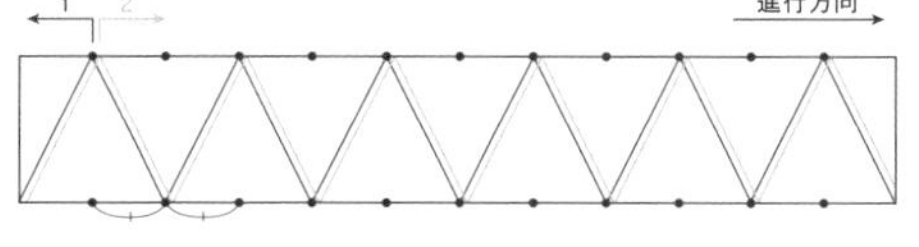

1コマの中での糸の替え方

1	紫3段→クリーム色1段→青紫3段→クリーム色1段→濃青3段→クリーム色1段→黒5段
2	ずっとクリーム色

5

12コマ | 2飛び

糸……赤(10)、山吹色(19)、薄黄(17)、白、黄緑(133)、水色(116)

作り方

1(赤)、2(赤)を1段ずつ交互に、表面が埋まるまでかがります。1 2とも下の表に沿って色を替え、最後は1 2のどちらかで水色1段で終わります。

製図

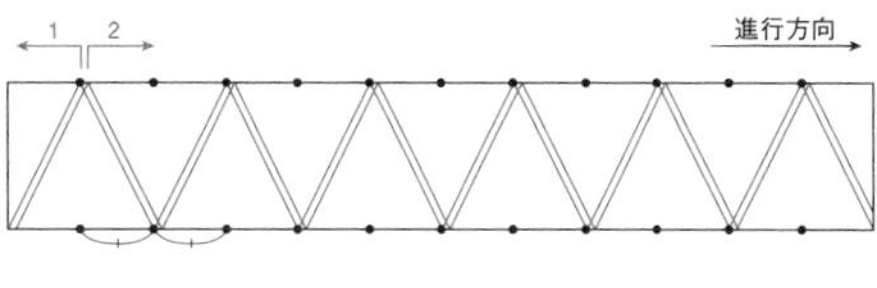

1コマの中での糸の替え方

1 2	赤3段→山吹色3段→薄黄3段→白4段→黄緑3段→※

※最後に1 2のどちらかで水色1段

6

10コマ | 2飛び

糸……紫(6)、クリーム色(142)、黄緑(133)、緑(132)、薄緑(31)

作り方

1(紫)、2(紫)を1段ずつ交互に、表面が埋まるまでかがります。1 2とも下の表に沿って5段ごとに色を替え、最後は1 2のどちらかで薄緑1段で終わります。

製図

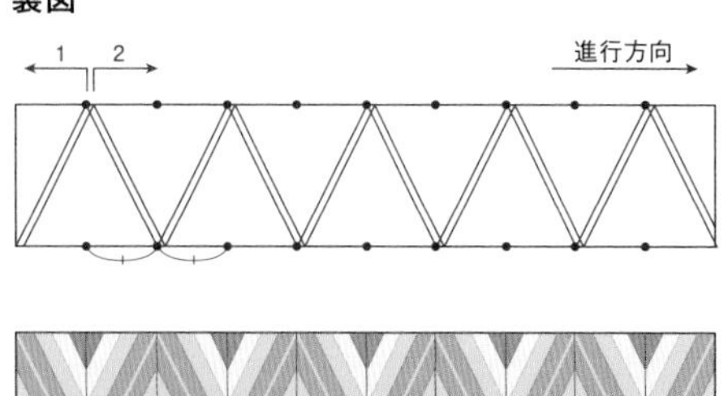

1コマの中での糸の替え方

1 2	紫5段→クリーム色5段→黄緑5段→緑5段

※最後に1 2のどちらかで薄緑1段

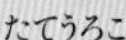

縦うろこ（2飛び） ～開き刺しでもまわし刺し～

（たてうろこ）

シンプルに2色でかがると、三角形が縦に並んだうろこ模様になります。
線対称になっている片側だけを見ると、斜交の模様になっています。
2本を同時に同じ配色でかがると菱形に変化します。

作り方：60 61 ページ

2

1 縦うろこ

3 升
4

5
6

ページ

n 縦うろこ（2飛び）

Point

開き刺しもまわし刺しにすることができます。思ったより早く埋まってしまうので、斜交よりもやさしく感じるかもしれません。開き刺しに慣れるためにもたくさん作ってみましょう。

1

11コマ | 2飛び

糸……白、エメラルドグリーン(139)

作り方

←1（白）、2→（エメラルドグリーン）を1段ずつ交互に、表面が埋まるまでかがります。

製図

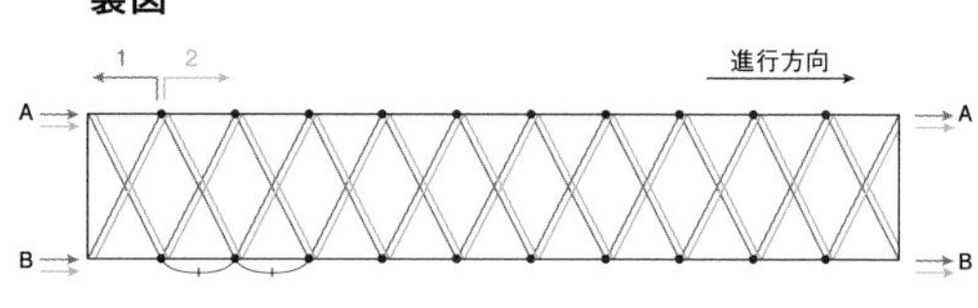

1コマの中での糸の替え方

←1	ずっと白
2→	ずっとエメラルドグリーン

2

11コマ | 2飛び

糸……白、赤(10)

作り方

←1（白）、2→（赤）を1段ずつ交互に、表面が埋まるまでかがります。

製図

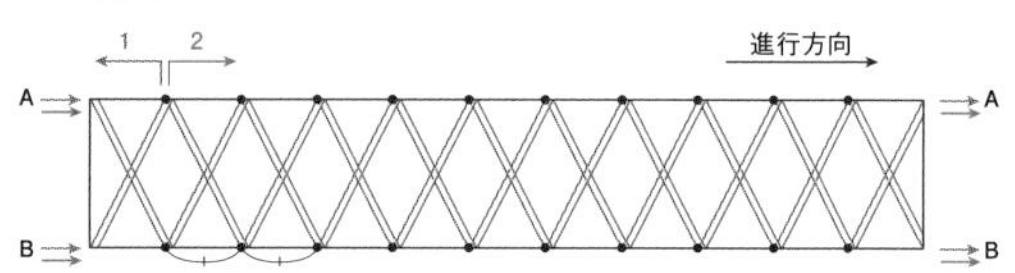

1コマの中での糸の替え方

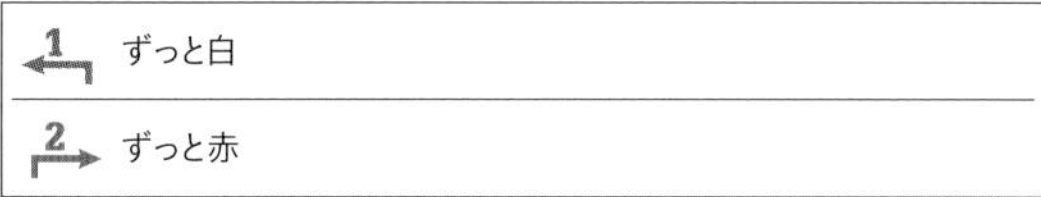

←1	ずっと白
2→	ずっと赤

3

11コマ | 2飛び

糸……茶(135)、薄茶(183)、灰茶(123)、ベージュ(181)、クリーム色(142)

作り方

←1（茶）、2→（茶）を1段ずつ交互に、表面が埋まるまでかがります。←1 2→とも下の表に沿って2段ごとに色を替えてかがります。

製図

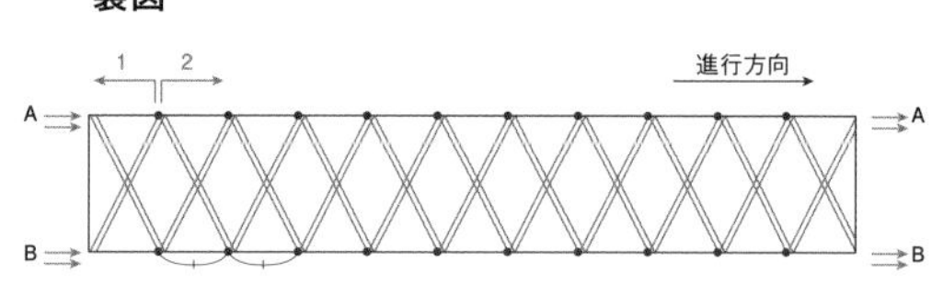

1コマの中での糸の替え方

←1	茶2段→薄茶2段→灰茶2段→ベージュ2段
2→	茶2段→薄茶2段→灰茶2段→クリーム色2段

4

11コマ｜2飛び

糸……濃オレンジ(5)、オレンジ(143)、黄(18)、白

作り方

←1(濃オレンジ)、2→(白)を1段ずつ交互に、表面が埋まるまでかがります。←1 2→とも下の表に沿って2段ごとに色を替えてかがります。

製図

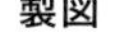

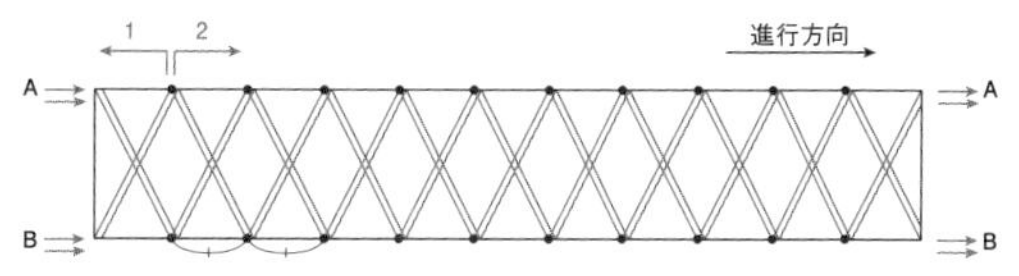

1コマの中での糸の替え方

←1	濃オレンジ2段→オレンジ2段→黄2段→白2段
2→	白2段→黄2段→オレンジ2段→濃オレンジ2段

5

5コマ｜2飛び

糸……赤(10)、白、ピンク(172)、紫(6)

作り方

←1(赤)、2→(赤)を1段ずつ交互に、表面が埋まるまでかがります。←1 2→とも下の表に沿って色を替え、最後は←1 2→のどちらかで紫1段で終わります。

製図

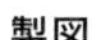

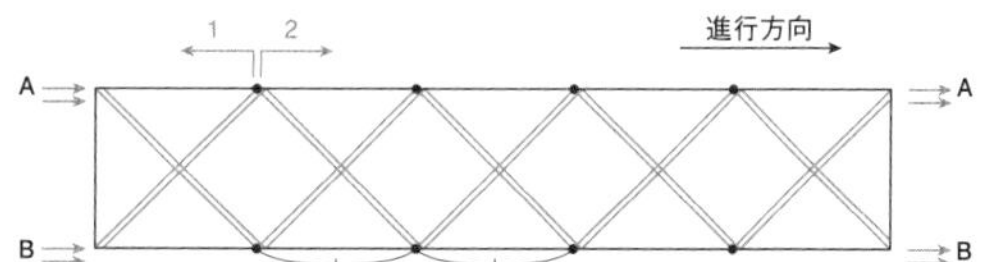

コマを大きくした分、斜めに渡る糸が長くなり綺麗に作るのが難しくなります。

1コマの中での糸の替え方

←1 2→	赤5段→白1段→赤4段→ピンク4段→※

※最後に←1 2→のどちらかで紫1段

6

11コマ｜2飛び

糸……白、群青(40)、スカイブルー(20)、水色(116)、薄水色(85)

作り方

←1(白)、2→(群青)を1段ずつ交互に、表面が埋まるまでかがります。2→は下の表に沿って2段ごとに色を替えてかがります。

製図

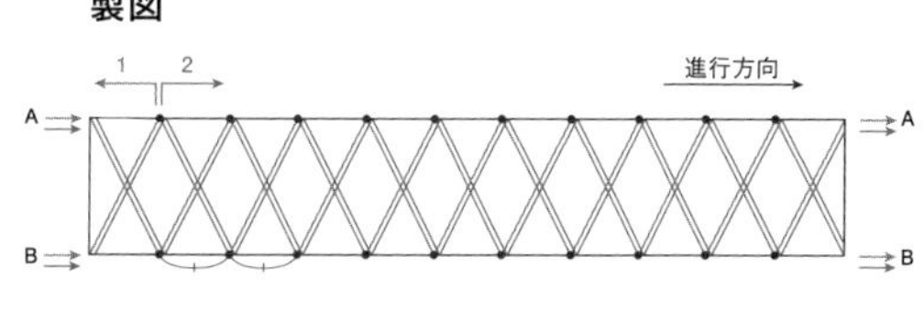

1コマの中での糸の替え方

←1	ずっと白
2→	群青2段→スカイブルー2段→水色2段→薄水色2段

o 縦うろこ（3飛び）～飛び数を増やした開き刺しのまわし刺し～

細かい縦うろこの模様です。ひとコマに多くの糸を並べることはできませんが、
三角になったり四角になったり、楽しい模様です。

作り方：64 65 ページ

5
4
6 升

ページ

o 縦うろこ（3飛び）

Point

飛び数が増えて模様が細かくなっても糸2本で作ることができます。作っている途中や、糸をかがり終わったあとで、針先を使って模様を整えておきましょう。

1

13コマ | 3飛び

糸……茶(135)、レンガ色(98)、薄オレンジ(175)、クリーム色(142)、白

作り方

1(茶)、2(茶)を1段ずつ交互に、表面が埋まるまでかがります。1 2とも下の表に沿って色を替え、最後は1 2のどちらかで白1段で終わります。

製図

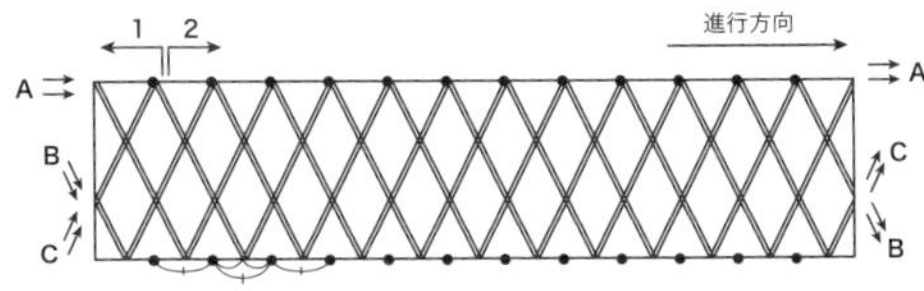

1コマの中での糸の替え方

1 2	茶1段→レンガ色2段→薄オレンジ2段→クリーム色1段→※

※最後に1 2のどちらかで白1段

2

13コマ | 3飛び

糸……クリーム色(142)、ピンク(795)

作り方

1(クリーム色)、2(ピンク)を1段ずつ交互に、表面が埋まるまでかがります。

製図

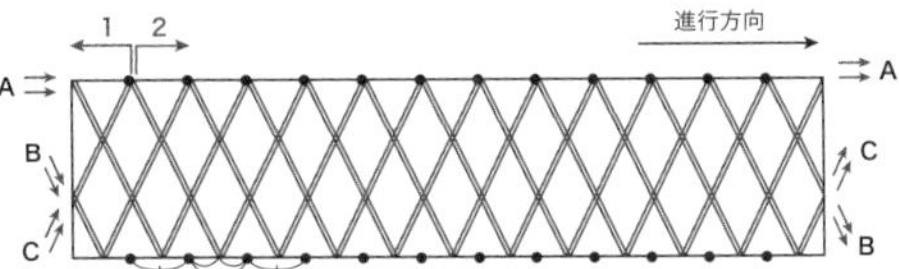

1コマの中での糸の替え方

1	ずっとクリーム色
2	ずっとピンク

3

13コマ | 3飛び

糸……緑(112)、クリーム色(142)、スカイブルー(20)

作り方

1(緑)、2(クリーム色)を1段ずつ交互に、表面が埋まるまでかがります。1 2とも下の表に沿って3段ごとに色を替え、最後は1 2のどちらかでスカイブルー1段で終わります。

製図

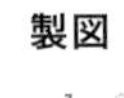

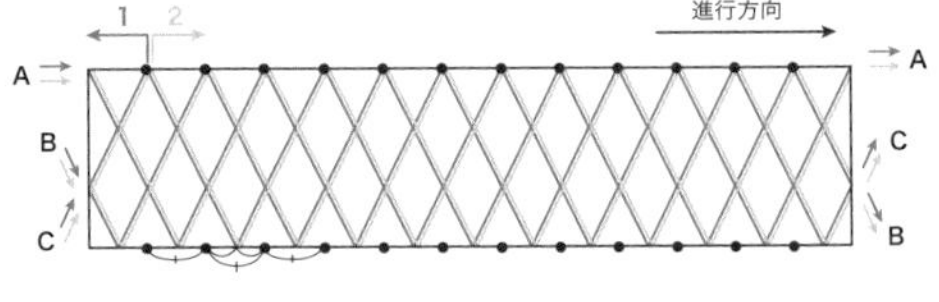

1コマの中での糸の替え方

1	緑3段→クリーム色3段→※
2	緑3段→クリーム色3段→※

※最後に1 2のどちらかでスカイブルー1段

4

13コマ | 3飛び

糸……白、紺（152）、青緑（136）

作り方

1（白）、2（紺）を1段ずつ交互に、表面が埋まるまでかがります。2は下の表に沿って2段ごとに青緑1段の縞を入れ、最後は1 2のどちらかで紺1段で終わります。

製図

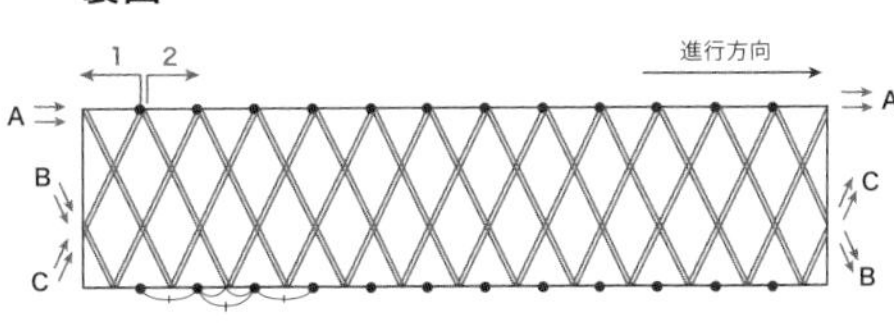

1コマの中での糸の替え方

1	ずっと白→※
2	紺2段→青緑1段→紺2段→青緑1段→※

※最後に1 2のどちらかで紺1段

5

13コマ | 3飛び

糸……赤（10）、白、山吹色（19）、薄黄（17）

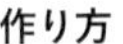

作り方

1（赤）、2（赤）を1段ずつ交互に、表面が埋まるまでかがります。1 2とも下の表に沿って色を替え、最後は1 2のどちらかで赤1段で終わります。

製図

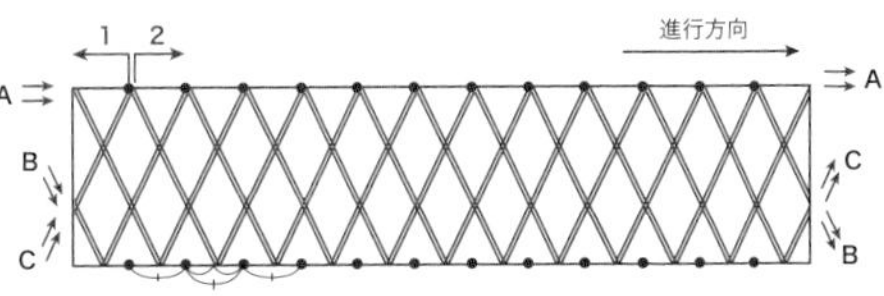

1コマの中での糸の替え方

1	赤3段→白1段→山吹色1段→薄黄1段→※
2	赤3段→白1段→山吹色1段→薄黄1段→※

※最後に1 2のどちらかで赤1段

6

10コマ | 3飛び

糸……濃青（144）、白、スカイブルー（20）、水色（85）、薄水色（115）

作り方

1（濃青）、2（濃青）を1段ずつ交互に、表面が埋まるまでかがります。1 2とも下の表に沿って色を替えてかがります。

製図

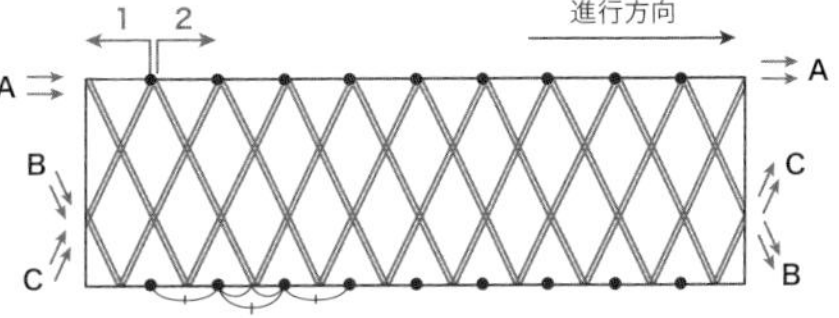

斜めに渡る長さが増えた分、円周全体の本数は減っています。

1コマの中での糸の替え方

1	濃青2段→白1段→濃青1段→白1段→スカイブルー2段→水色1段
2	濃青2段→白1段→濃青1段→白1段→濃青2段→薄水色1段

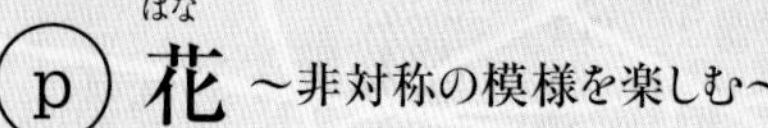

p 花（はな） ～非対称の模様を楽しむ～

３本の糸に開き刺しを加えることで、非対称の複雑な模様ができます。
花に見立てて色を選んだり、３本の糸でも２色だけを使って仕上げたり。
まるで違う作り方をしたように変化します。

作り方：68 69 ページ

1

2 花

3

4
5
6

(p) 花

Point

開き刺しを綺麗に仕上げるには、作り始めにしっかりと隙間なく糸を詰めておくことが大切です。
終わりに近くなってからぎゅうぎゅう糸を詰め込まないように、スタートが肝心です。

1

15コマ｜3飛び

糸……クリーム色(142)、紫(6)

作り方

1(クリーム色)、2(紫) 3(紫)を1段ずつ交互に、表面が埋まるまでかがります。

製図

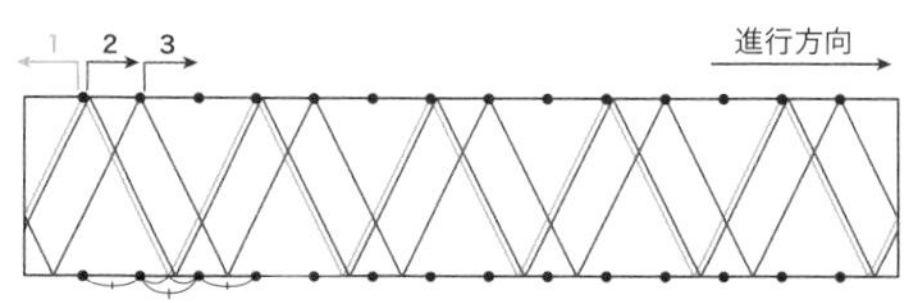

1コマの中での糸の替え方

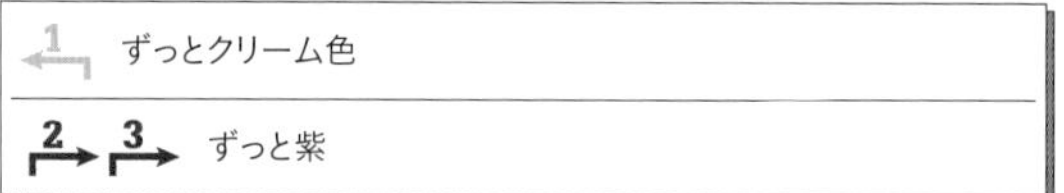

1	ずっとクリーム色
2 3	ずっと紫

2

15コマ｜3飛び

糸……オレンジ(143)、濃オレンジ(176)、薄黄(17)

作り方

1(オレンジ)、2(濃オレンジ) 3(薄黄)を1段ずつ交互に、表面が埋まるまでかがります。

製図

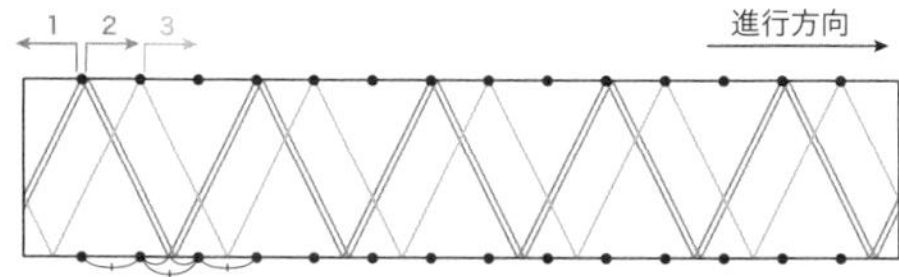

1コマの中での糸の替え方

1 ずっとオレンジ	3 ずっと薄黄	
2 ずっと濃オレンジ		

3

12コマ｜3飛び

糸……薄クリーム色(141)、赤(10)、サーモンピンク(169)、薄ピンク(93)、薄ラベンダー(12)、白、えんじ(3)

作り方

1(薄クリーム色)、2(赤) 3(えんじ)を1段ずつ交互に、表面が埋まるまでかがります。 2は下の表に沿って色を替えます。

製図

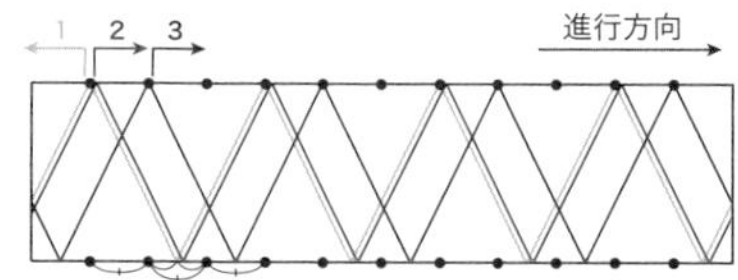

12コマにしたので、1コマあたりの本数が多くなりました。

1コマの中での糸の替え方

1 ずっと薄クリーム色	3 ずっとえんじ	
2 赤4段→サーモンピンク3段→薄ピンク3段→薄ラベンダー3段→白3段		

4

15コマ｜3飛び

糸……生成(00)、ピンク(171)、紫(6)

作り方

←1(生成)、2→(紫)3→(生成)を1段ずつ交互にかがります。←1と3→は下の表に沿って2段ごとにピンク1段の縞を入れ、残りは生成で表面が埋まるまでかがります。

製図

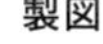

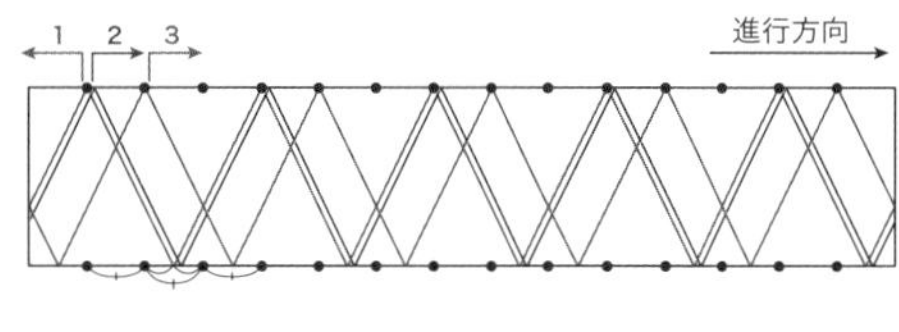

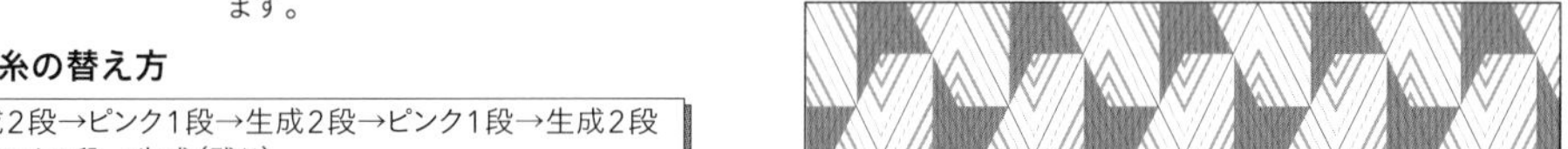

1コマの中での糸の替え方

←1 3→	生成2段→ピンク1段→生成2段→ピンク1段→生成2段→ピンク1段→生成(残り)
2→	ずっと紫

5

15コマ｜3飛び

糸……濃緑(28)、薄黄緑(73)、緑(112)、抹茶(162)、黄(196)、サーモンピンク(169)

作り方

←1(濃緑)、2→(サーモンピンク)3→(濃緑)を1段ずつ交互にかがります。←1と3→は下の表に沿って色を替えます。

製図

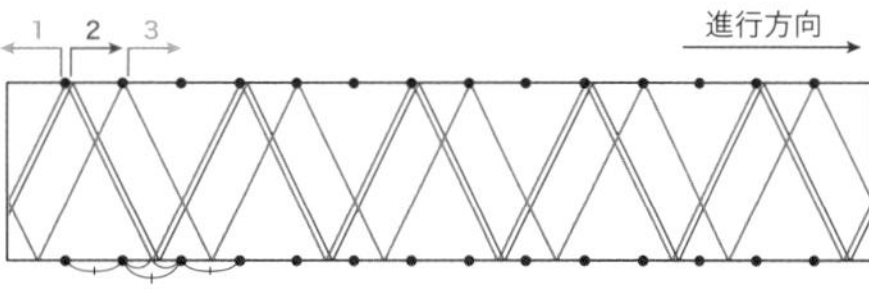

1コマの中での糸の替え方

←1 3→	濃緑3段→薄黄緑1段→緑3段→薄黄緑1段→抹茶3段→黄1段
2→	ずっとサーモンピンク

6

糸……黒、赤(10)、濃オレンジ(5)、オレンジ(143)、薄黄(17)、緑(132)

作り方

←1(黒)、2→(赤)3→(黒)を1段ずつ交互にかがります。2→は下の表に沿って色を替えます。最後は←1 3→のどちらかで緑1段で終わります。

製図

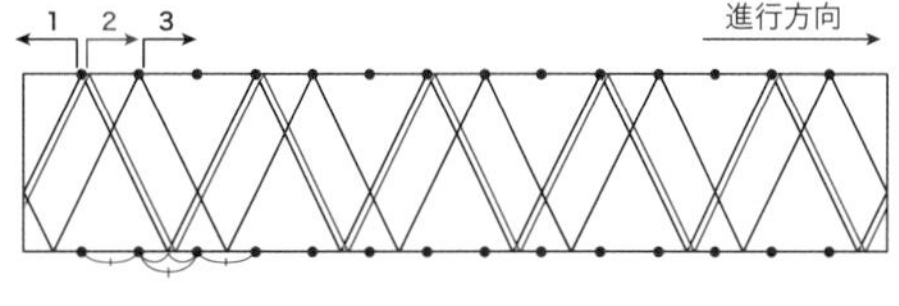

1コマの中での糸の替え方

←1	ずっと黒→※	3→	ずっと黒→※
2→	赤4段→濃オレンジ4段→オレンジ2段→薄黄3段		

※最後に←1 3→のどちらかで緑1段

ⓠ 水晶（すいしょう） ～思いがけない形を楽しむ～

色の組み合わせと、開き刺しのドラマチックな変化を存分に楽しめる模様です。
配色の工夫で、主役になる部分が変化して違う形が浮き上がって見えます。

作り方：72 73 ページ

1

2 水晶

4
3
5

ページ

(q) 水晶

Point

目をひくのは赤い色、濃い色、大きな面積を占めるものです。縞模様は、強い配色にしないとかえって印象が弱まります。

1

16コマ | 4飛び

糸……白、灰色(62)

作り方

1(白)、2(白)3(灰色)、4(灰色)を1段ずつ交互に、表面が埋まるまでかがります。

製図

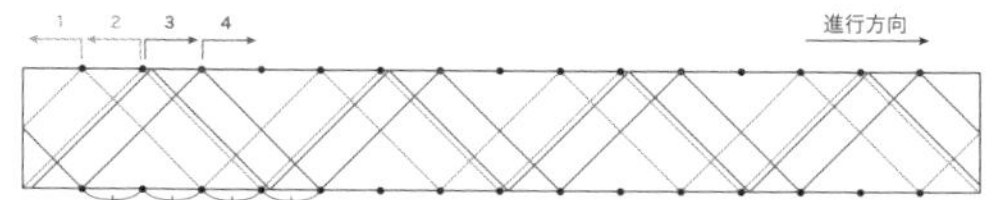

1コマの中での糸の替え方

1 2	ずっと白
3 4	ずっと灰色

2

16コマ | 4飛び

糸……薄ピンク(93)、水色、黄、黄緑

作り方

1(薄ピンク)、2(水色)3(黄緑)、4(黄)を1段ずつ交互に、表面が埋まるまでかがります。

製図

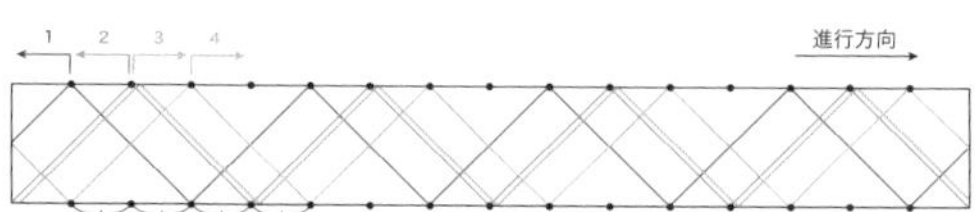

1コマの中での糸の替え方

1	ずっと薄ピンク	3	ずっと黄緑
2	ずっと水色	4	ずっと黄

薄ピンク以外の糸は、カナガワ株式会社のものではなく著者私物の糸でかがりました。

3

16コマ | 4飛び

糸……茶(135)、白

作り方

1(茶)、2(茶)3(茶)、4(茶)を1段ずつ交互に、表面が埋まるまでかがります。1～4とも下の表に沿って色を替えます。

製図

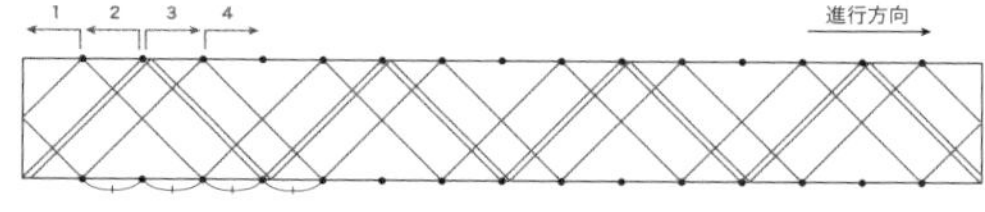

1コマの中での糸の替え方

1 2 3 4	茶2段→白1段→茶2段→白1段→茶2段→白2段→※

※2 3の最後で白を各1段、そのあと1 4の最後どちらかで茶1段

4

16コマ｜4飛び

糸……赤(10)、モスグリーン(113)、生成(00)、抹茶(160)、黄緑(133)

作り方

1(赤)、2(モスグリーン)3(赤)、4(モスグリーン)を1段ずつ交互に、表面が埋まるまでかがります。2と4は下の表に沿って色を替えます。

1コマの中での糸の替え方

1 3	ずっと赤
2 4	モスグリーン3段→生成1段→抹茶2段→生成1段→黄緑2段→生成2段

製図

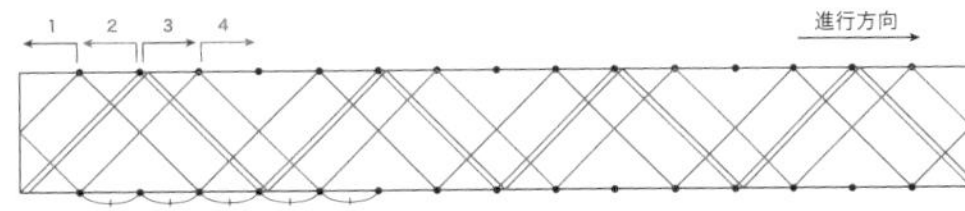

5

16コマ｜4飛び

糸……白、灰青(88)、濃オレンジ(176)

作り方

1(白)、2(白)3(濃オレンジ)、4(濃オレンジ)を1段ずつ交互に、表面が埋まるまでかがります。1と2は半コマ進んだところで灰青1段の縞を入れます。

1コマの中での糸の替え方

1 2	白5段→灰青1段→白4段
3 4	濃オレンジ9段→※

※最後に3 4のどちらかで濃オレンジ1段、そのあとに1 2で白を各1段

製図

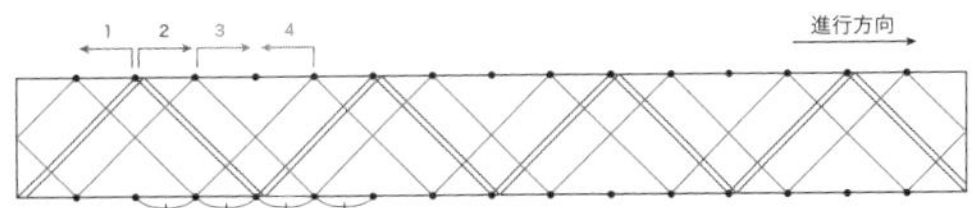

赤い四角形を綺麗に仕上げるには、前半をきちんと詰めてかがることがポイントです。

ⓡ 元禄（げんろく） ～端正な模様を楽しむ～

大胆で華やかな模様が流行した元禄時代、大きな市松模様がその代表です。
上下左右に対称な形をしているので、どんな配色もきちんとした印象におさまります。

作り方：76 77 ページ

4 元禄
3 松毬

5
6

 74—75ページ

r 元禄

Point

同じようにかがるのですが、四角にする方が難しく感じます。綺麗に仕上げるには最後の1本を大切にかがりましょう。配色によって、糸の順番を少し変えてあります。

1

24コマ｜4飛び

糸……クリーム色(142)、ベージュ(181)、濃オレンジ(4)、白、茶(135)

作り方

1(クリーム色)、2(ベージュ)3(濃オレンジ)、4(茶)を1段ずつ交互に、表面が埋まるまでかがります。2と4の最後は白1段で終わります。

製図

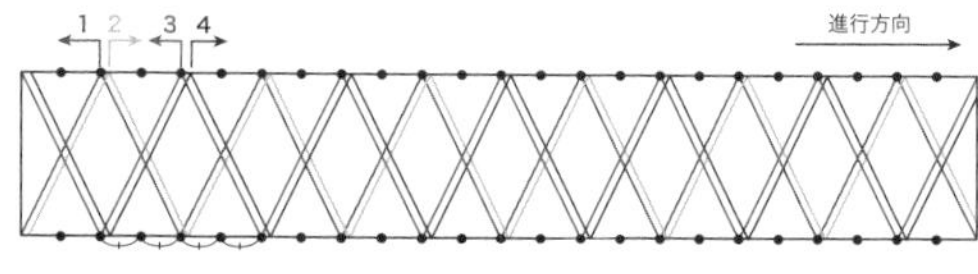

1コマの中での糸の替え方

1 ずっとクリーム色	3 ずっと濃オレンジ
2 ずっとベージュ→白1段	4 ずっと茶→白1段

2

24コマ｜4飛び

糸……赤(10)、若草色(764)、白

作り方

1(赤)、2(赤)3(若草色)、4(白)を1段ずつ交互に、表面が埋まるまでかがります。最後は1 2のどちらかで赤1段を、3 4のどちらかで若草色1段をかがって終わります。

製図

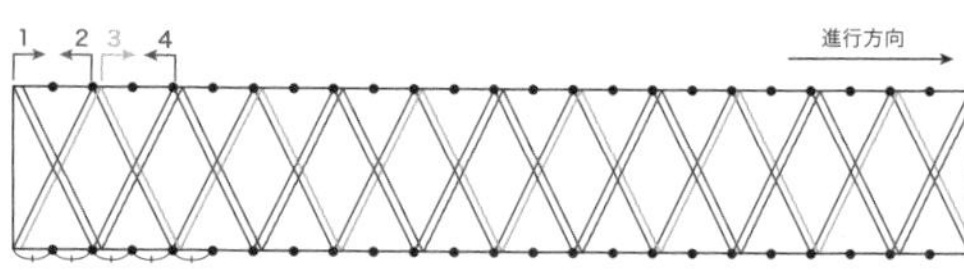

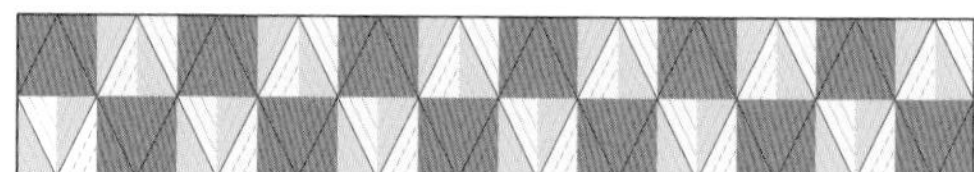

1コマの中での糸の替え方

1 2 ずっと赤→※	
3 ずっと若草色→※	4 ずっと白→※

※最後に1 2のどちらかで赤1段、3 4のどちらかで若草色1段

3

12コマ｜4飛び

糸……オレンジ(020)、赤(10)、薄黄(17)、生成(00)

作り方

1(オレンジ)、2(赤)3(薄黄)、4(赤)を1段ずつ交互に、表面が埋まるまでかがります。2 4は下の表に沿って糸を替えながらかがります。

製図

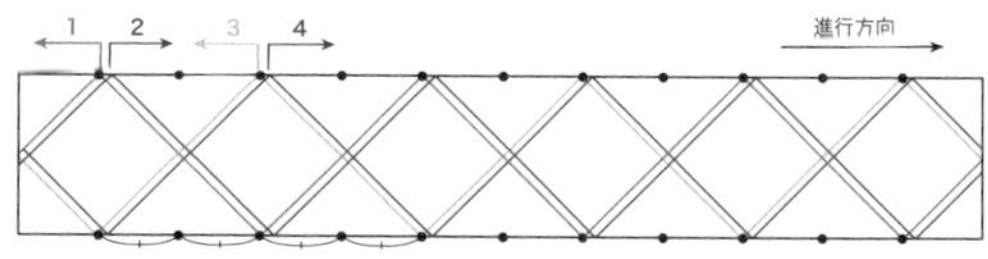

縞になっている部分の色を先に決めています。

1コマの中での糸の替え方

1 ずっとオレンジ	3 ずっと薄黄
2 4 赤4段→薄黄1段→赤4段→生成1段→赤4段	

4

24コマ｜4飛び

糸……薄紫(005)、白

作り方

1→(薄紫)、←2(薄紫)3→(白)、←4(白)を1段ずつ交互に、表面が埋まるまでかがります。最後は1→←2のどちらかで薄紫1段を、3→←4のどちらかで白1段をかがって終わります。

製図

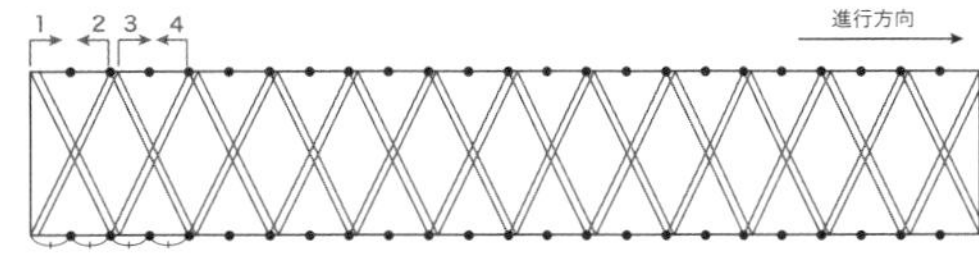

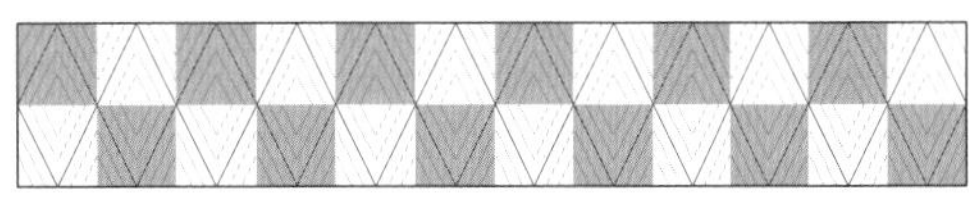

同じ色どうしが近づいていくので、間違えないように気をつけてください。

1コマの中での糸の替え方

1→ ←2	ずっと薄紫→※
3→ ←4	ずっと白→※

※最後に1→←2のどちらかで薄紫1段、3→←4のどちらかで白1段

5

24コマ｜4飛び

糸……エメラルドグリーン(139)、白、灰青(88)

作り方

←1(エメラルドグリーン)、2→(エメラルドグリーン)←3(白)、4→(白)を1段ずつ交互にかがります。半コマかがったところで←1 2→は白に、←3 4→は灰青に糸を替え、表面が埋まるまでかがります。

製図

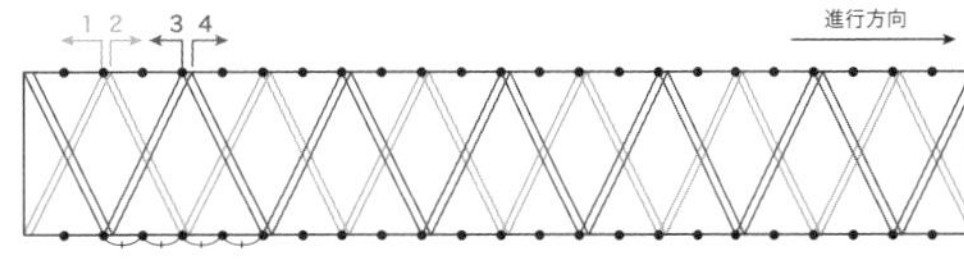

1コマの中での糸の替え方

←1 2→	エメラルドグリーン4段→白4段
←3 4→	白4段→灰青4段

6

24コマ｜4飛び

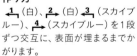

糸……白、スカイブルー(20)

作り方

←1(白)、2→(白)←3(スカイブルー)、4→(スカイブルー)を1段ずつ交互に、表面が埋まるまでかがります。

製図

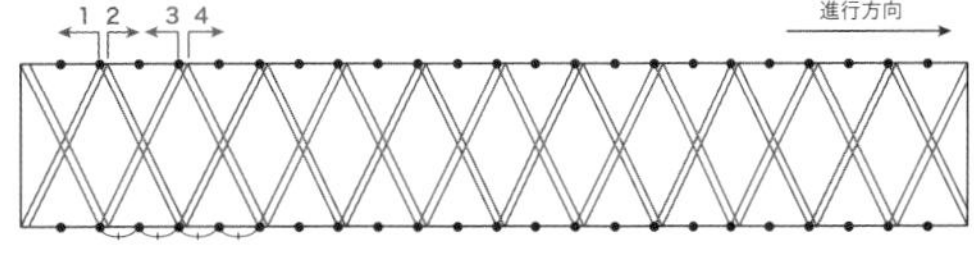

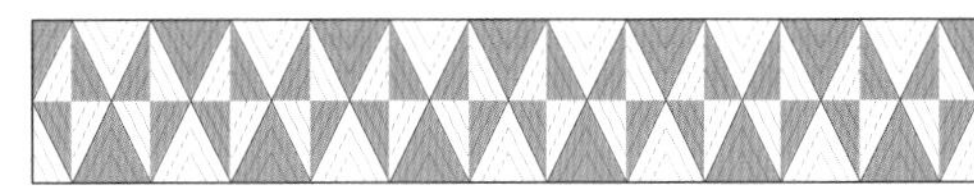

1コマの中での糸の替え方

←1 2→	ずっと白
←3 4→	ずっとスカイブルー

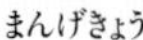

万華鏡 〜複雑さを楽しむ〜

まんげきょう

花の模様を細かくしたような、非対称で複雑な模様です。
どの部分を目立たせるのか、主役を決めて配色を工夫しましょう。

作り方：80 81 ページ

1

2

4
3 万華鏡
5

ⓢ 万華鏡

Point
水晶・元禄・万華鏡はどれも4コマでひと模様になっています。開き刺しをどのようにいくつ組み合わせるかで、模様が次々に生まれます。

1

16コマ | 4飛び

糸……薄水色(106)、ピンク(172)、白

作り方
←1(薄水色)、2→(ピンク)3→(薄水色)、4→(ピンク)を1段ずつ交互に、表面が埋まるまでかがります。2→ 3→ 4→ の最後は白1段で終わります。

製図

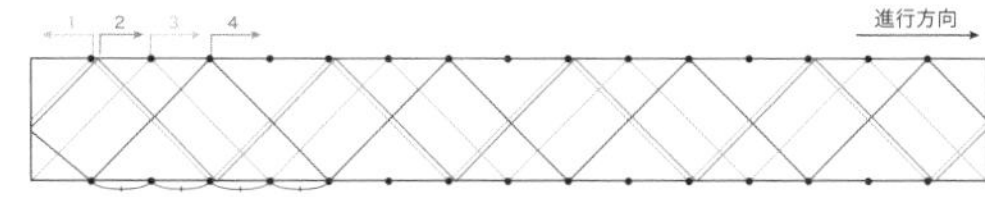

1コマの中での糸の替え方

←1 ずっと薄水色	3→ ずっと薄水色→白1段
2→ ずっとピンク→白1段	4→ ずっとピンク→白1段

2

16コマ | 4飛び

糸…クリーム色(142)、抹茶(160)、紫(22)、薄灰(108)、薄茶(192)

作り方
←1(クリーム色)、2→(紫)3→(紫)、4→(クリーム色)を1段ずつ交互に、表面が埋まるまでかがります。←1 と 4→ は下の表に沿って色を替えます。2→ の最後は薄灰1段、3→ の最後は薄茶1段で終わります。

製図

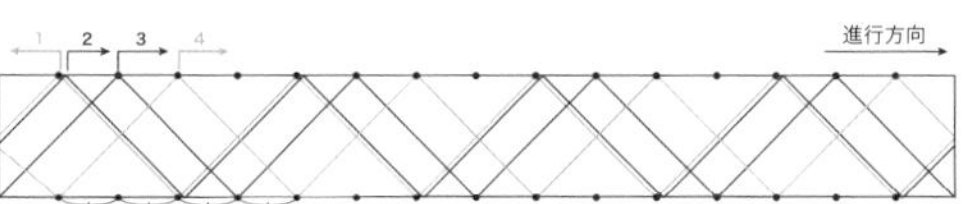

1コマの中での糸の替え方

←1 4→ クリーム色2段→抹茶3段→クリーム色2段→抹茶3段→クリーム色1段	
2→ ずっと紫→薄灰1段	3→ ずっと紫→薄茶1段

3

16コマ | 4飛び

糸……山吹色(19)、ピンク(795)、薄ピンク(93)、白

作り方
←1(山吹色)、2→(ピンク)3→(薄ピンク)、4→(白)を1段ずつ交互にかがります。

製図

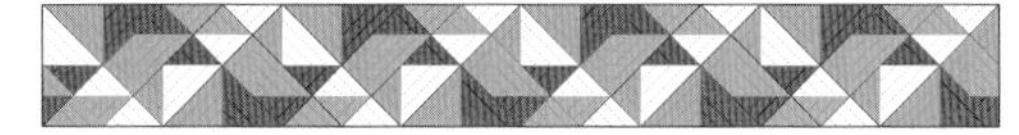

1コマの中での糸の替え方

←1 ずっと山吹色	3→ ずっと薄ピンク
2→ ずっとピンク	4→ ずっと白

4

16コマ｜4飛び

糸……白、灰色(66)、赤(10)、黄緑(133)

作り方

1(白)、2(白)、3(赤)、4(黄緑)を1段ずつ交互に、表面が埋まるまでかがります。1と2は半コマかがったところで灰色1段の縞を入れます。

製図

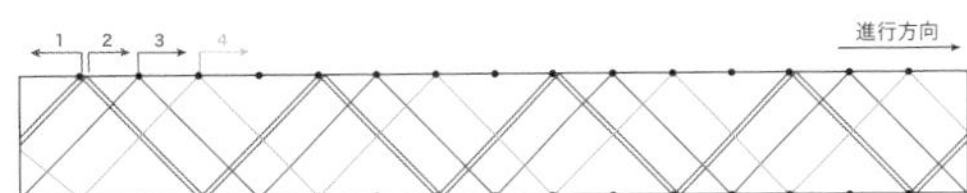

1コマの中での糸の替え方

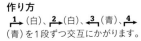

1 2 白(半分)→灰色1段→白(残り)	
3 ずっと赤	4 ずっと黄緑

5

16コマ｜4飛び

糸……白、青(21)

作り方

1(白)、2(白)、3(青)、4(青)を1段ずつ交互にかがります。

製図

1コマの中での糸の替え方

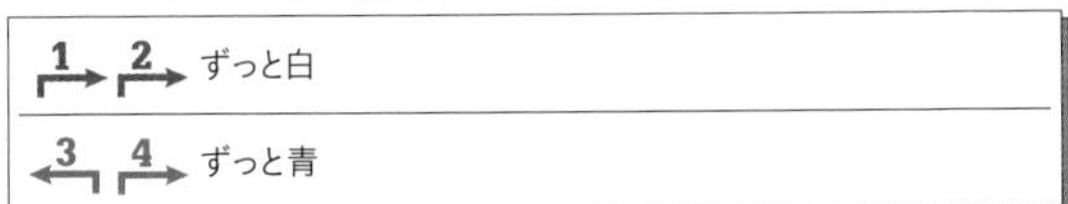

1 2 ずっと白
3 4 ずっと青

5

重ね刺しのゆびぬき

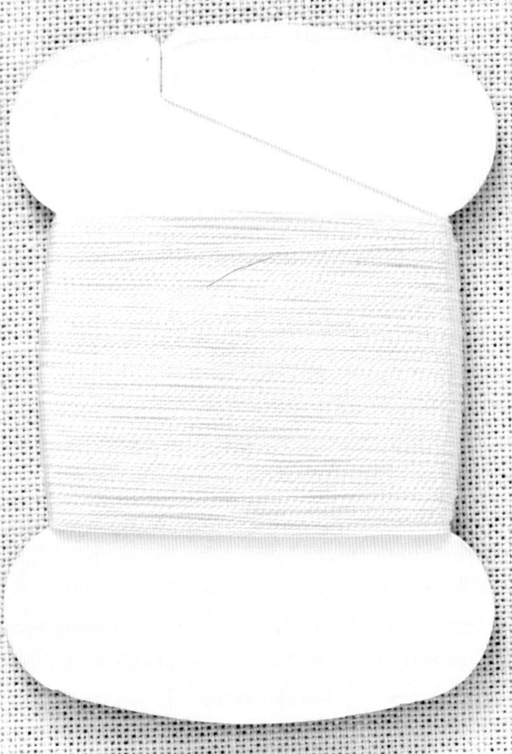

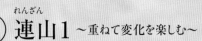

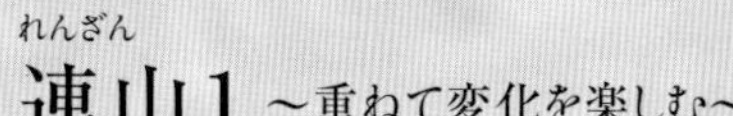

ⓣ 連山（れんざん）1 ～重ねて変化を楽しむ～

並刺しだけでも、重ねると模様のバリエーションが広がります。
アクセントに入れる1本の色が仕上がりをぴりりとひきしめます。

作り方：88 89ページ

1

2

4
5
3 連山

重ね刺しのゆびぬきを作ってみましょう

90 ページ

u-1

15コマ | 3飛び

糸……白、赤（10）

事前に準備しておくこと

「ゆびぬきを作り始める前に」（34ページ参照）を見て、糸のクセ直しをし、かがり方の基本をチェックしておく。

製図

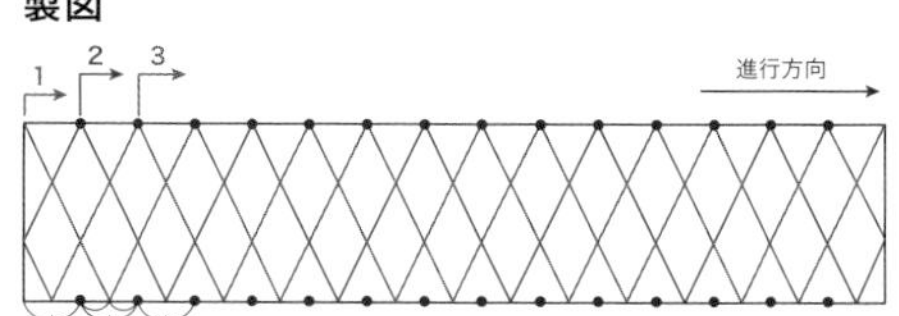

1コマの中での糸の替え方

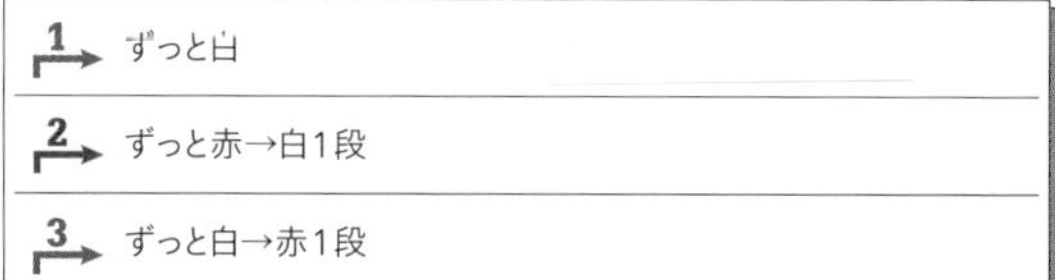

1→ ずっと白

2→ ずっと赤→白1段

3→ ずっと白→赤1段

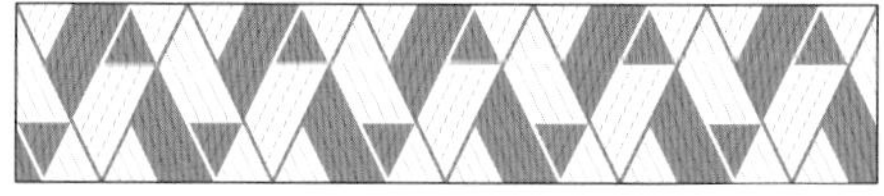

2色だけですが、最後の1本を入れることでぐっと華やぎます。

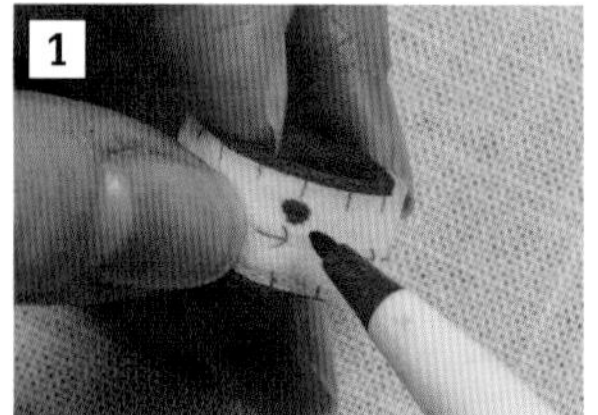

1 31ページを参照して土台のゆびぬきを1個用意します。等分印は15コマにします。赤ペンで等分印の下に印を付け、スタート位置にします。

CHECK > スタート位置は和紙の継ぎ目ではない部分にしましょう。

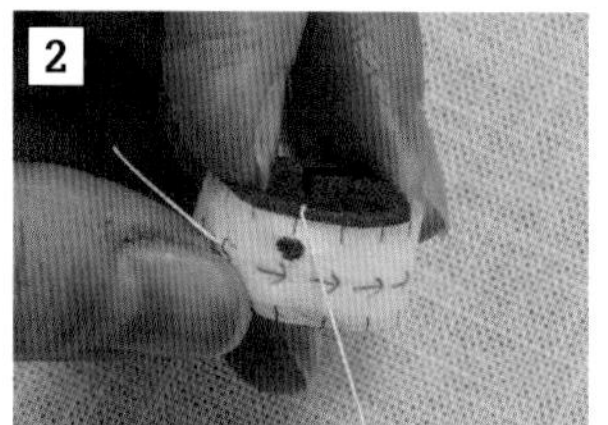

2 白の糸約100cmを玉結びをせずに針に通します。36ページの2〜7を参照してスタート位置のバイアス布に針を出し、糸をかけて引きます。この部分が製図の1→の部分になります。

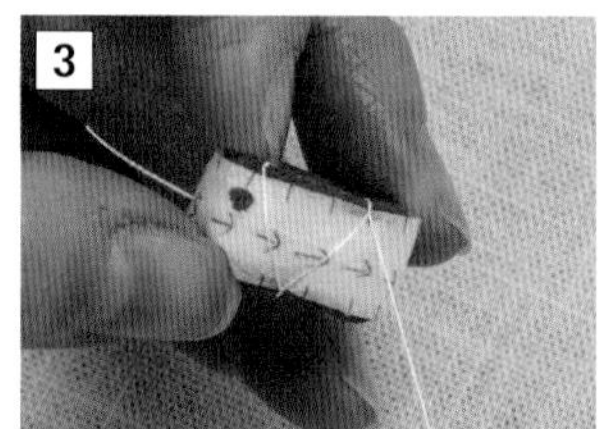

3 製図の通りに3飛びでかがっていきます。写真は3コマめをかがったところ。3飛びなどの奇数飛びの時は等分印の間のところにかがり目が来ます。

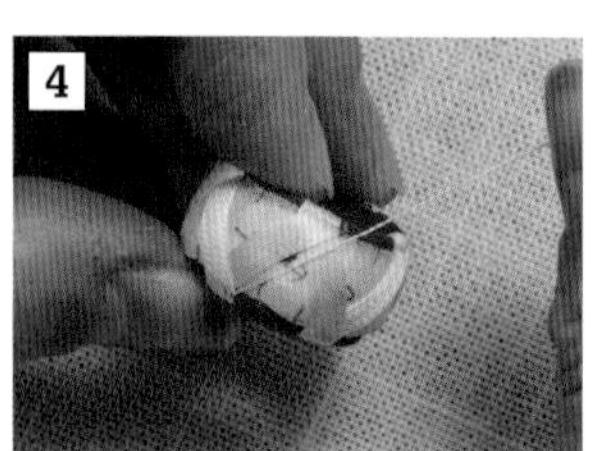

4 並刺しの時と同じ要領で1コマ全てかがります。刺し始めの余り糸を切り、白の糸も始末しておきます。

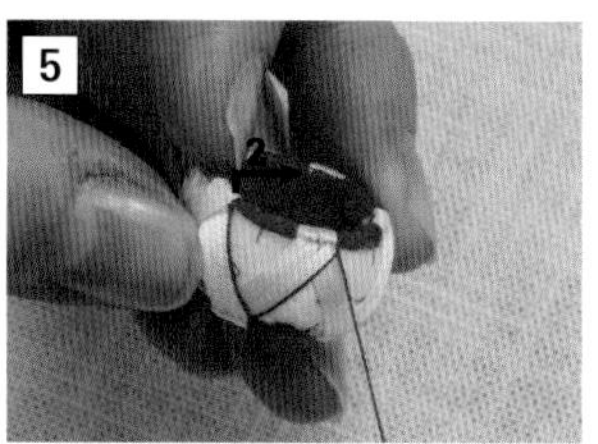

5 赤の糸約100cmを玉結びをせずに針に通します。2の時と同様にして針を製図の2→の位置のバイアス布に出します。写真は3コマめをかがったところ。

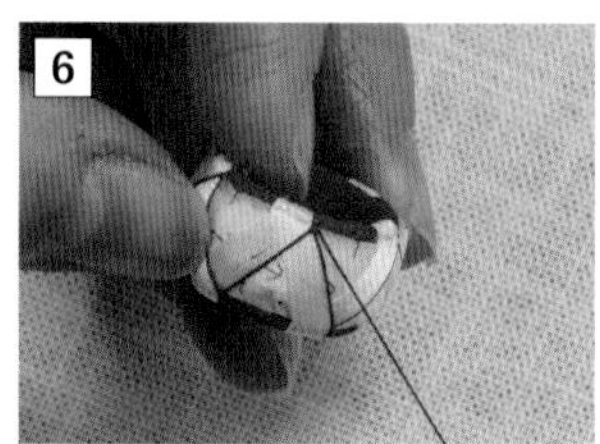

6 白の糸の時と同じ要領で1段かがります。赤の糸は針に通したまま針山に休めておきます。

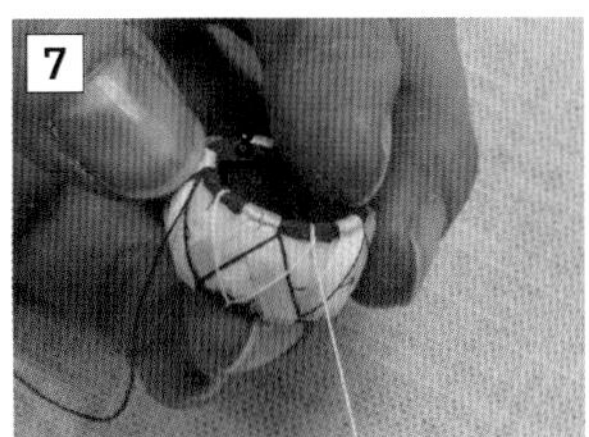

新しく用意した白の糸で 3→ をかがります。2の時と同様にして針を製図の 3→ の位置のバイアス布に出します。写真は3コマめをかがったところ。

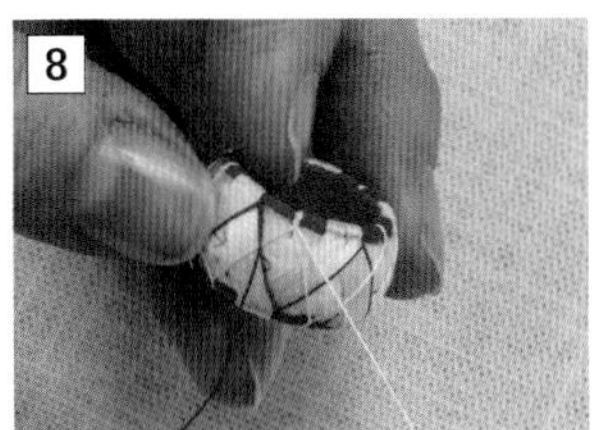

白の糸で一周したところ。残りの部分は、白の糸と赤の糸を1段ずつ交互に、表面が埋まる直前までかがります。

残り1段分を残して、39ページの「最後の糸処理」の要領で糸を始末します。

赤い糸でかがったところのすぐ横（2→の最後の段）に白の糸を出します。1段かがります。

白の糸で一段かがったところ。39ページの「最後の糸処理」の要領で糸を始末します。

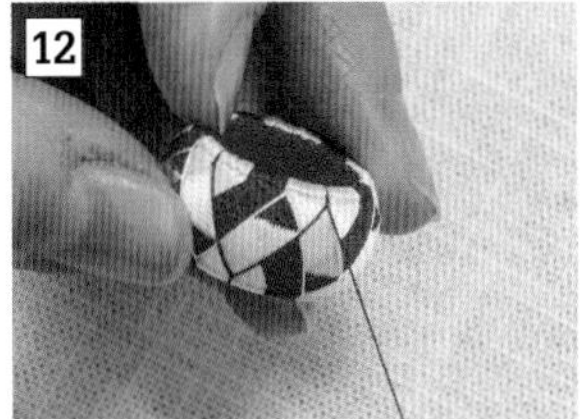

同様に白い糸でかがったところのすぐ横（1→ の最後の段）から赤い糸を1段かがり、糸を始末します。

できあがり。

ⓣ 連山1

Point

はじめ2本でかがり進めてから、1本の糸で残りを埋めます。もし3本同時に1段交互に作ったとしたら、三色うろこの模様になります。

1

15コマ | 3飛び

糸…クリーム色(142)、赤紫(89)

作り方

1(クリーム色)、2(赤紫)を1段ずつ交互にかがり、各1コマを埋めます。次に3(赤紫)を1コマかがります。最後は1は赤紫1段、3はクリーム色1段で終わります。

製図

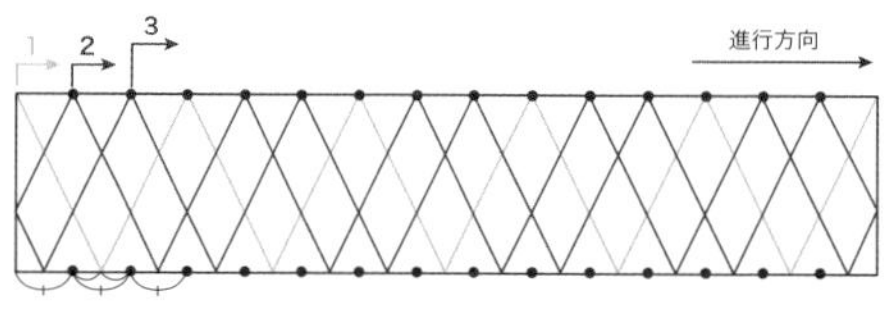

1コマの中での糸の替え方

1 ずっとクリーム色→赤紫1段	3 ずっと赤紫→クリーム色1段
2 ずっと赤紫	

2と3をつなげているので、二色うろこを変形した模様と考えることもできます。

2

15コマ | 3飛び

糸……水色(85)、白、スカイブルー(20)

作り方

1(水色)、2(白)を1段ずつ交互にかがり、各1コマを埋めます。次に3(スカイブルー)を半コマかがり、水色1段の縞を入れて残り半コマをかがります。

製図

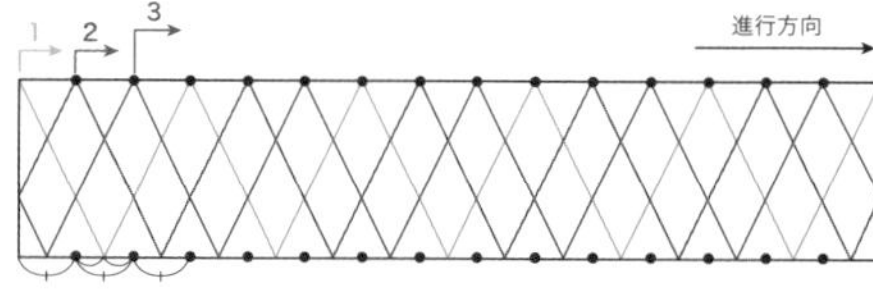

1コマの中での糸の替え方

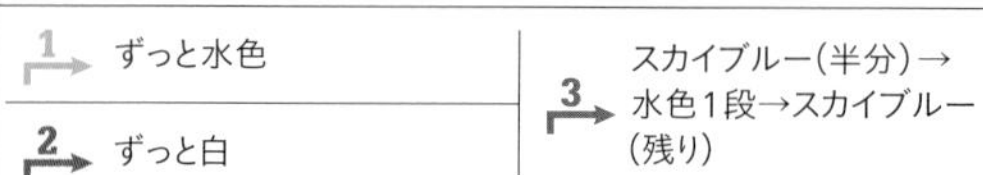

1 ずっと水色	3 スカイブルー(半分)→水色1段→スカイブルー(残り)
2 ずっと白	

3

15コマ | 3飛び

糸…アイボリー(16)、濃オレンジ(176)、オレンジ(143)、薄オレンジ(175)

作り方

1(アイボリー)、2(アイボリー)を縞を入れながら1段ずつ交互にかがり、各1コマを埋めます。次に3(アイボリー)を縞を入れながら1コマかがります。1、2、3とも下の表に沿って2段ごとに縞を入れながらかがります。

製図

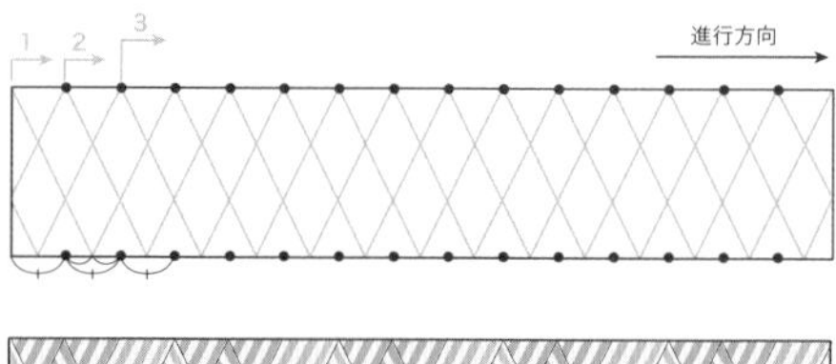

1コマの中での糸の替え方

1 2	アイボリー2段→濃オレンジ2段→アイボリー2段→濃オレンジ2段→アイボリー2段→濃オレンジ2段
3	アイボリー2段→オレンジ2段→アイボリー2段→オレンジ2段→アイボリー2段→薄オレンジ2段→アイボリー1段

4

15コマ | 3飛び

糸……サーモンピンク（169）、白、黄緑（133）、クリーム色（142）

作り方

1→（サーモンピンク）、2→（黄緑）を1段ずつ交互にかがり、各1コマを埋めます。1→と2→は下の表に沿って糸を替えながらかがります。次に3→（白）を1コマかがります。最後は3→はサーモンピンク1段で終わります。

製図

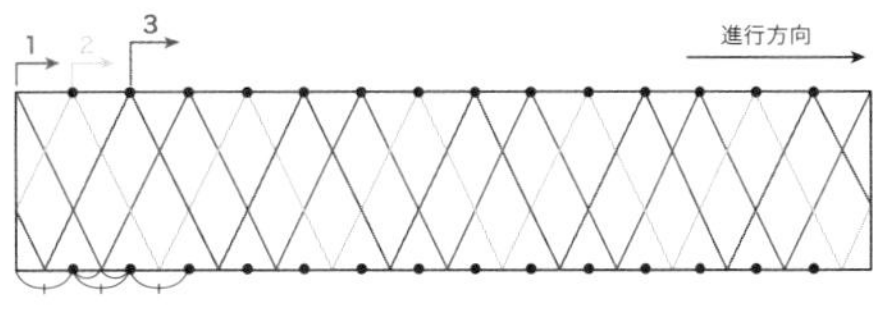

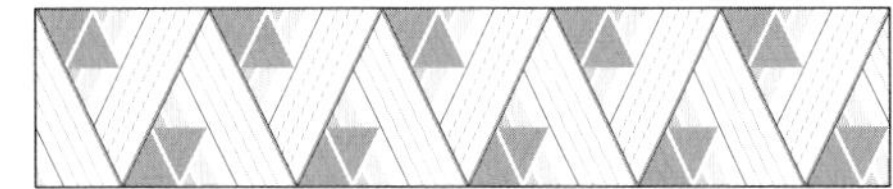

1コマの中での糸の替え方

1→ ずっとサーモンピンク→白1段	3→ ずっと白→サーモンピンク1段
2→ 黄緑4段→白1段→クリーム色4段→白4段	

5

15コマ | 3飛び

糸……群青（40）、薄灰（37）、薄水色（115）、青緑（43）、灰青（46）、薄鼠色（35）

作り方

1→（群青）、2→（薄灰）を1段ずつ交互にかがり、各1コマを埋めます。2→は下の表に沿って糸を替えながらかがります。次に3→（青緑）を下の表に沿って糸を替えながら1コマかがります。

製図

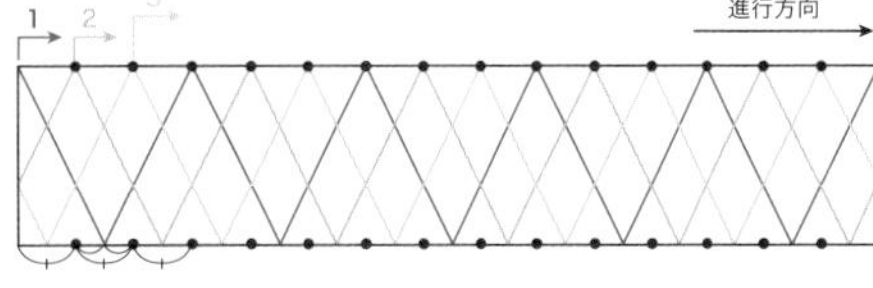

2→ 3→ はひとつながりと捉えて5本ずつ色を替えました。

1コマの中での糸の替え方

1→ ずっと群青	3→ 青緑2段→灰青5段→薄鼠色5段→群青1段
2→ 薄灰5段→薄水色5段→青緑3段	

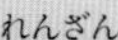

連山（れんざん）2 ～重ね方を変えて作ってみる～

連山1とは重ねる順番を逆にしました。はじめにかがっておくひとコマ分を、
配色のアクセントにするかなじませるのか、それで仕上がりがずいぶん違います。

作り方：92 93 ページ

★この作品の1は86ページで作り方を解説しています

1

2
3

5 連山
4

ページ

ⓤ 連山2

Point

ひとコマだけを先にかがるとき、つい多くなったり少なくなったりしがちです。少しのことなら無視できますが、厳密に作りたい時は、糸の本数を数えながらかがるしかありません。

2

15コマ | 3飛び

糸……紫(22)、白、薄茶(56)、ラベンダー(187)、薄ラベンダー(12)

作り方

1→(紫)を1コマかがります。次に2→(紫)、3→(薄茶)を1段ずつ交互にかがり、各1コマを埋めます。3→は下の表に沿って糸を替えながらかがります。最後は2→は白1段、3→は紫1段で終わります。

1コマの中での糸の替え方

1→ ずっと紫	2→ ずっと紫→白1段
3→ 薄茶4段→白1段→ラベンダー4段→白1段→薄ラベンダー2段→紫1段	

製図

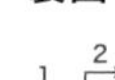

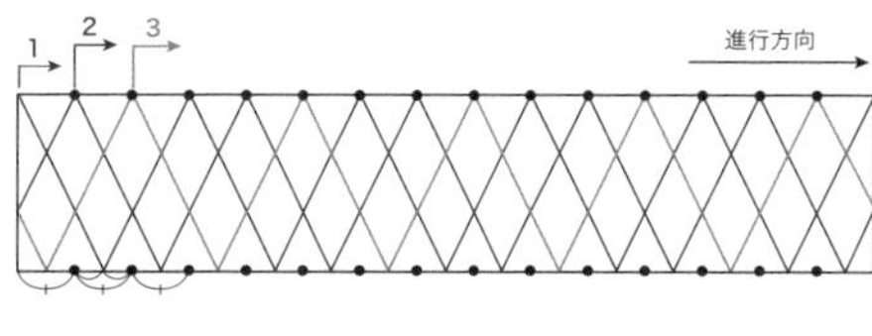

3

15コマ | 3飛び

糸……赤(10)、薄オレンジ(175)、薄黄(17)

作り方

1→(赤)を1コマかがります。次に2→(薄オレンジ)、3→(薄黄)を1段ずつ交互にかがり、各1コマを埋めます。最後は2→は薄黄1段、3→は薄オレンジ1段で終わります。

1コマの中での糸の替え方

1→ ずっと赤	3→ ずっと薄黄→薄オレンジ1段
2→ ずっと薄オレンジ→薄黄1段	

製図

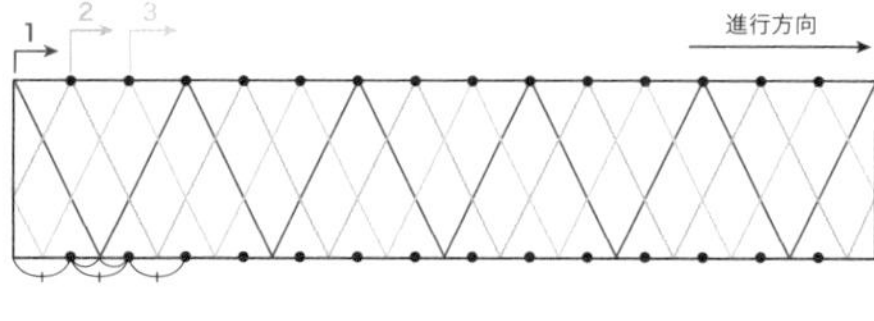

4

15コマ | 3飛び

糸……白、青緑(43)、抹茶(162)、灰ピンク(170)、オレンジ(143)、濃オレンジ(176)、薄オレンジ(175)

作り方

1(白)を、下の表に沿って2段ごとに色を替えながら1コマかがります。次に2(オレンジ)、3(白)を1段ずつ交互にかがり、各1コマを埋めます。3は下の表に沿って糸を替えながらかがります。

1コマの中での糸の替え方

1	白2段→青緑2段→白2段→抹茶2段→白2段→灰ピンク2段	3	白2段→濃オレンジ2段→白2段→薄オレンジ2段→白2段→抹茶2段→白1段
2	ずっとオレンジ		

製図

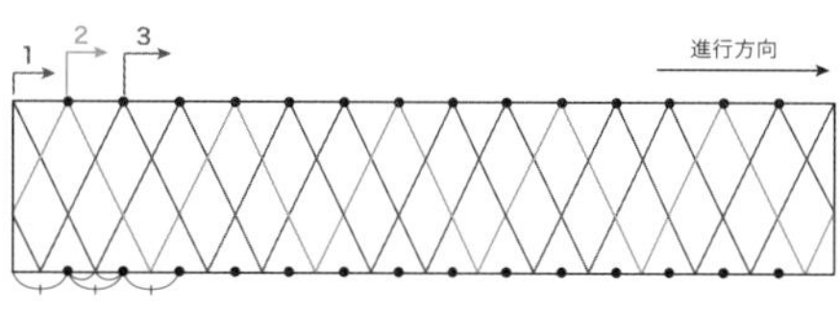

5

15コマ | 3飛び

糸……青緑(43)、スカイブルー(20)、白、濃青(144)

作り方

1(青緑)を1コマかがります。次に2(スカイブルー)、3(スカイブルー)を下の表に沿って色を替えながら1段ずつ交互にかがり、各1コマを埋めます。

1コマの中での糸の替え方

1	ずっと青緑
2 3	スカイブルー3段→白1段→濃青3段→白1段→スカイブルー3段→白1段→濃青3段→白1段

製図

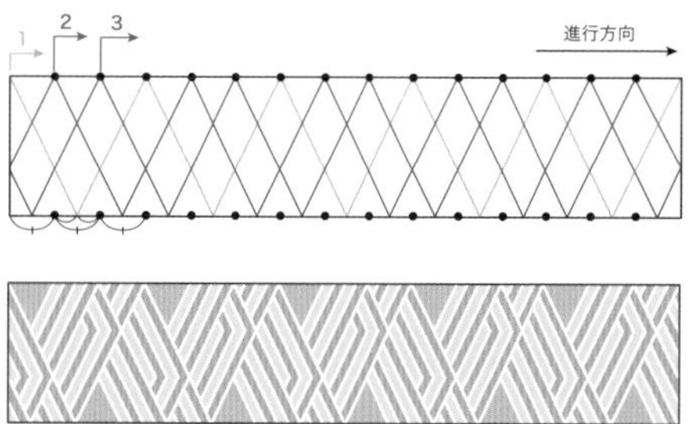

琴柱(ことじ) ～3段階に重ねて作る模様～

重ねて作る、華やかな模様です。アクセントに入れる1本の糸のおかげで、形がくっきりと浮かびあがります。琴柱とは、お琴の弦を支える二股になった道具のことで、音の高低を調整するものです。

作り方：96 97 ページ

1

2

4
3
5

ページ

(v) 琴柱

Point

ひとコマ、またひとコマと重ねるときに、糸の本数が多くなったり少なくなったりしないように気をつけましょう。最後、1段交互にかがるときに、上下でずれていると美しくありません。円周全体の本数は、10コマ2飛びの二色うろこと同じくらいになるので参考にしてください。

1

16コマ | 4飛び

糸……エメラルドグリーン(139)、抹茶(162)、緑(112)、白

作り方

1→(エメラルドグリーン)を1コマかがり、次に2→(抹茶)を1コマかがります。次に3→(緑)、4→(白)を下の表に沿って色を替えながら1段ずつ交互にかがり、各1コマを埋めます。

製図

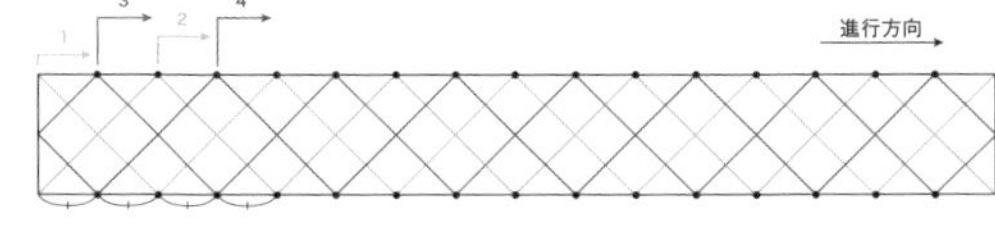

1コマの中での糸の替え方

1→	ずっとエメラルドグリーン	3→	緑1段→ずっと白→緑1段
2→	ずっと抹茶	4→	白1段→ずっと緑→白1段

2

16コマ | 4飛び

糸……薄茶(56)、黒、薄ラベンダー(12)、紫(22)

作り方

1→(薄茶)を1コマかがり、次に2→(黒)を1コマかがります。次に3→(薄ラベンダー)、4→(紫)を下の表に沿って色を替えながら1段ずつ交互にかがり、各1コマを埋めます。

製図

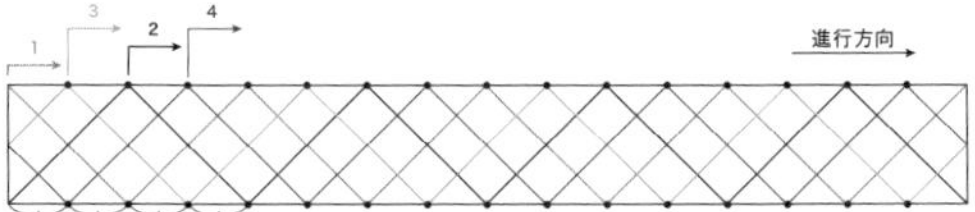

1コマの中での糸の替え方

1→	ずっと薄茶	3→	薄ラベンダー1段→ずっと紫→薄ラベンダー1段
2→	ずっと黒	4→	紫1段→ずっと薄ラベンダー→紫1段

3

16コマ | 4飛び

糸……薄灰(73)、濃緑(731)、クリーム色(142)、赤紫(89)

作り方

1→(薄灰)を1コマかがり、次に2→(濃緑)を1コマかがります。次に3→(クリーム色)、4→(赤紫)を下の表に沿って色を替えながら1段ずつ交互にかがり、各1コマを埋めます。

製図

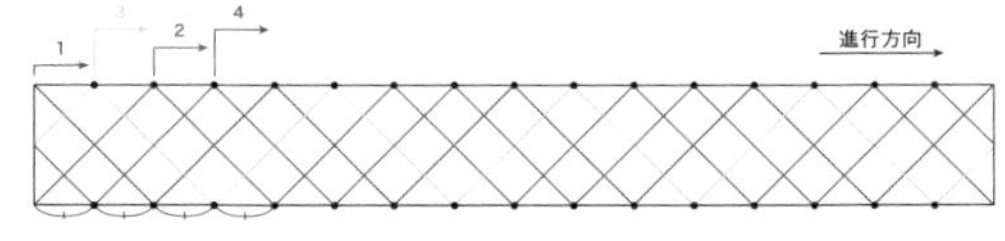

1コマの中での糸の替え方

1→	ずっと薄灰	3→	クリーム色1段→赤紫5段→クリーム色1段→赤紫5段→クリーム色1段
2→	ずっと濃緑	4→	赤紫1段→クリーム色5段→赤紫1段→クリーム色5段→赤紫1段

4

糸……薄茶(56)、赤(4)、焦茶(820)、白

作り方

1→(薄茶)を1コマかがり、次に2→(焦茶)を1コマかがります。1→2→とも半コマかがったところで糸を赤に変えて残りをかがります。次に3→(白)、4→(赤)を下の表に沿って色を替えながら1段ずつ交互にかがり、各1コマを埋めます。

1コマの中での糸の替え方

1→	薄茶6段→赤6段	3→	白1段→ずっと赤→白1段
2→	焦茶6段→赤6段	4→	赤1段→ずっと白→赤1段

製図

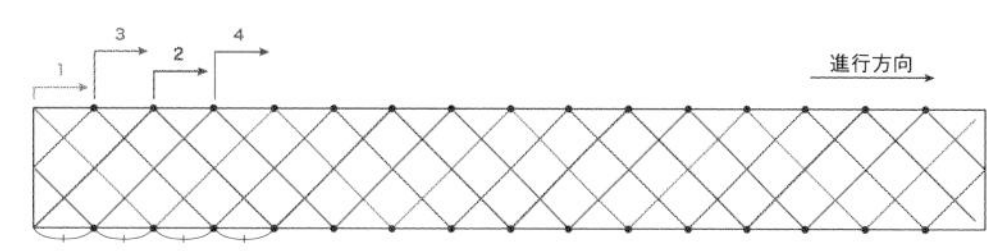

5

糸……赤(10)、濃オレンジ(176)、薄黄(17)、黄緑(133)、アイボリー(16)

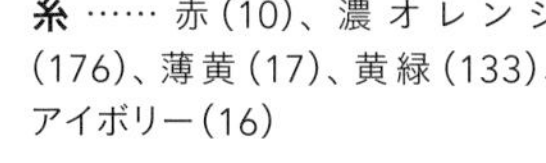

作り方

1→(赤)を1コマかがり、次に2→(濃オレンジ)を下の表に沿って色を替えながら1コマかがります。次に3→(赤)、4→(赤)を下の表に沿って色を替えながら1段ずつ交互にかがり、各1コマを埋めます。

1コマの中での糸の替え方

1→	ずっと赤	2→	濃オレンジ4段→薄黄4段→黄緑4段
3→ 4→	赤1段→ずっとアイボリー→赤1段		

製図

椿（つばき）～花びらを重ねて、大輪の花をかがる～

最後に入れる飾り線で、とたんに椿が浮かびあがります。
飾り線を入れることで椿の花になるもの、飾り線を入れずに配色を楽しむもの、
いろいろかがってみましょう。

作り方：(100)(101)ページ

5
4
6

ページ

ⓦ 椿

Point

はじめから最後まで、ひとコマずつかがって重ねて作ります。飾り線は基本のジグザグのかがり方とはちがって、入れたいところだけ自由な発想で入れています。

1

糸…緑(112)、抹茶(162)、山吹色(19)、濃オレンジ(5)、黒

作り方

1(緑)、2(山吹色)、3(濃オレンジ)、4(濃オレンジ)の順にそれぞれ1コマずつかがります。1は半コマかがったところで抹茶1段の縞を入れて残り半コマをかがります。3と4は右図に従って黒で飾り線を入れます。ABCDの順に、AとBは点線部分をくぐらせて1段かがり、CとDは点線部分を真綿までしっかり通して1段かがります。

1コマの中での糸の替え方

1 緑(半分)→抹茶1段→緑(残り)	2 ずっと山吹色
3 4 濃オレンジ→※	

※ 3と4は最後に黒で飾り線を入れる

20コマ｜4飛び

製図

1 2 3 4 進行方向

飾り線の入れ方 A B C D

2

糸…抹茶(162)、山吹色(19)、薄ベージュ(13)、黒

作り方

1(抹茶)、2(山吹色)、3(薄ベージュ)、4(薄ベージュ)の順にそれぞれ1コマずつかがります。3と4は右図に従って黒で飾り線を入れます。ABCDの順に、AとBは点線部分をくぐらせて1段かがり、CとDは点線部分を真綿までしっかり通して1段かがります。

1コマの中での糸の替え方

1 ずっと抹茶	2 ずっと山吹色
3 4 ずっと薄ベージュ→※	

※ 3と4は最後に黒で飾り線を入れる

20コマ｜4飛び

製図

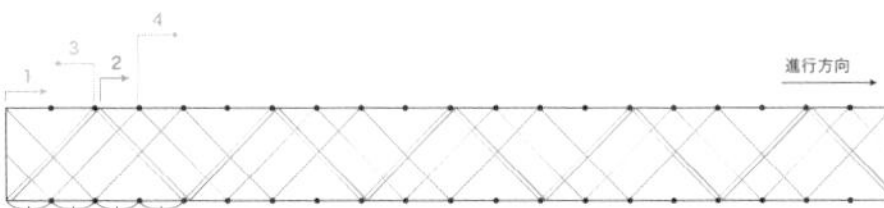

飾り線の入れ方

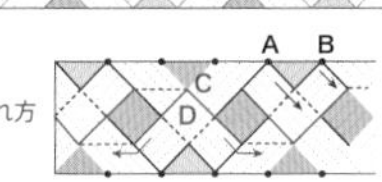

3

糸…灰色(827)、緑(112)、ぶどう色(6)、濃紫(23)、紫(22)、ラベンダー(187)

作り方

1(灰色)、2(ぶどう色)、3(濃紫)、4(濃紫)の順にそれぞれ1コマずつかがります。1 3 4は下の表に沿って半コマで糸を替えながらかがります。3と4は右図に従ってラベンダーで飾り線を入れます。ABCDの順に、AとBは点線部分をくぐらせて1段かがり、CとDは点線部分を真綿までしっかり通して1段かがります。

1コマの中での糸の替え方

1 灰色(半分)→緑(残り)	2 ずっとぶどう色
3 4 濃紫(半分)→紫(残り)→※	

※ 3と4は最後にラベンダーで飾り線を入れる

20コマ｜4飛び

製図

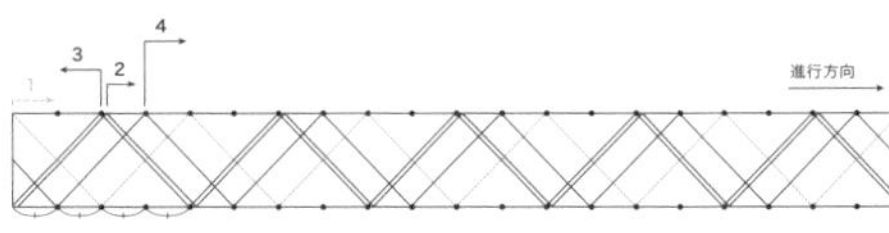

飾り線の入れ方 A B D

4

20コマ｜4飛び

糸……黄(196)、薄オレンジ(175)、サーモンピンク(169)、抹茶(162)、モスグリーン(123)

作り方

1(黄)、2(黄)、3(薄オレンジ)、4(抹茶)の順にそれぞれ1コマずつかがります。3と4は下の表に沿って糸を替えながらかがります。

製図

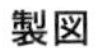

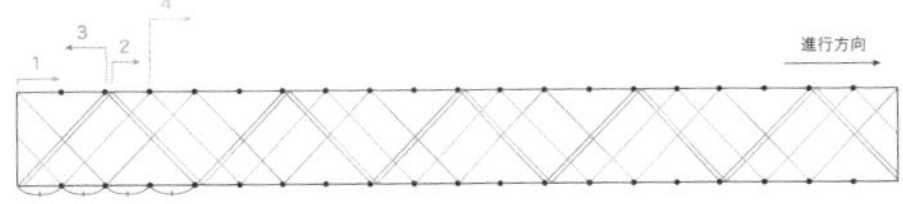

1コマの中での糸の替え方

1 2 ずっと黄	
3 薄オレンジ4段→黄1段→サーモンピンク4段	4 抹茶4段→モスグリーン2段→抹茶4段

5

20コマ｜4飛び

糸……濃灰(59)、白、水色(85)、青(21)

作り方

1(濃灰)、2(白)、3(水色)、4(青)の順にそれぞれ1コマずつかがります。3と4は右図に従って白で飾り線を入れます。ABCDの順に、AとBは点線部分をくぐらせて1段かがり、CとDは点線部分を真綿までしっかり通して1段かがります。

製図

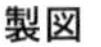

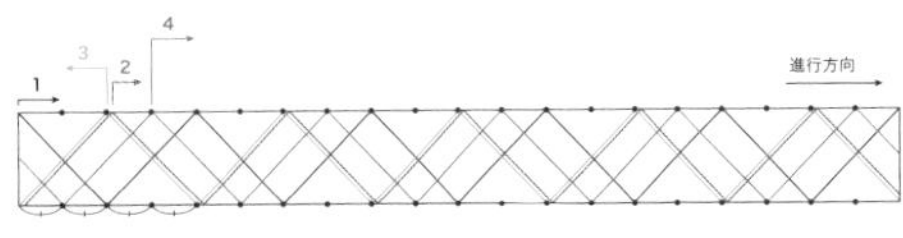

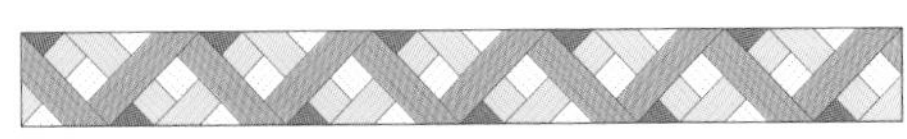

飾り線の入れ方
A B C D

1コマの中での糸の替え方

1 ずっと濃灰	3 ずっと水色→※
2 ずっと白	4 ずっと青→※

※3と4は最後に白で飾り線を入れる

6

16コマ｜4飛び

糸……濃オレンジ(5)、オレンジ(143)、薄黄緑(166)、薄黄(17)、黄(196)、白

作り方

1(濃オレンジ)、2(濃オレンジ)、3(濃オレンジ)の順にそれぞれ1コマずつかがります。右図に従ってオレンジで飾り線を入れます。最後に4(薄黄緑)を下の表に沿って糸を替えながら1コマかがります。

製図

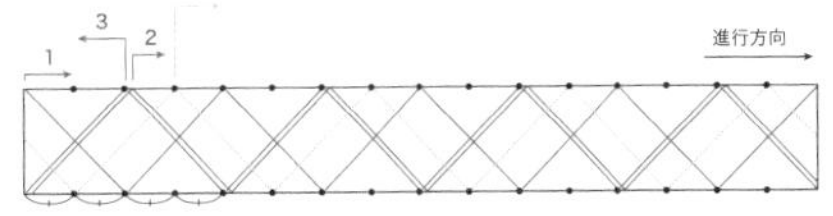

飾り線の入れ方

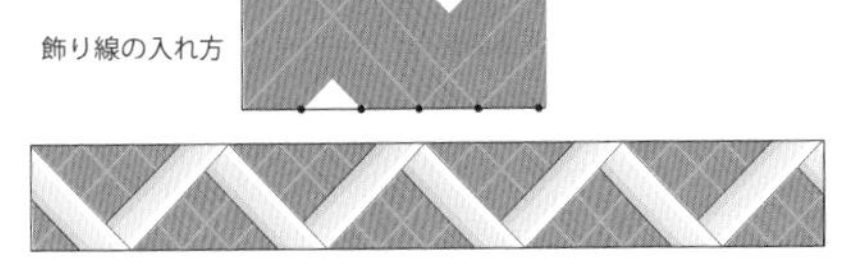

1コマの中での糸の替え方

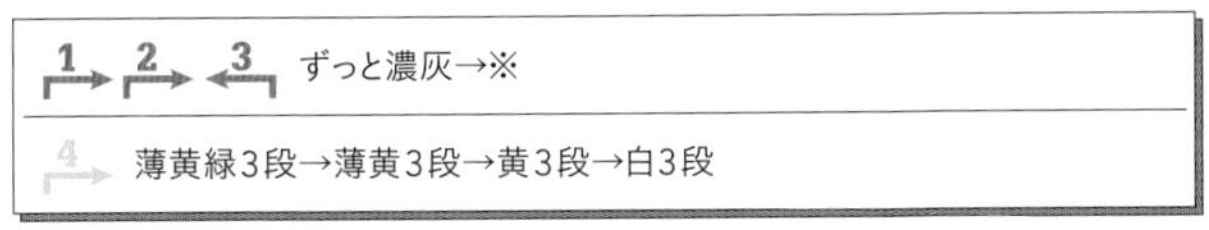

1 2 3 ずっと濃灰→※
4 薄黄緑3段→薄黄3段→黄3段→白3段

※3までかがったらオレンジで飾り線を入れる

アレンジ作品

カラフルなゆびぬきを、身の回りの小物にアレンジしてみましょう。
コレクションするだけでなく、持ち歩いたり身につけたりする楽しみが増えれば
日々の暮らしに彩りがいっそう加わりそうです。

作り方：104〜107ページ

1 指輪

右2つは参考作品

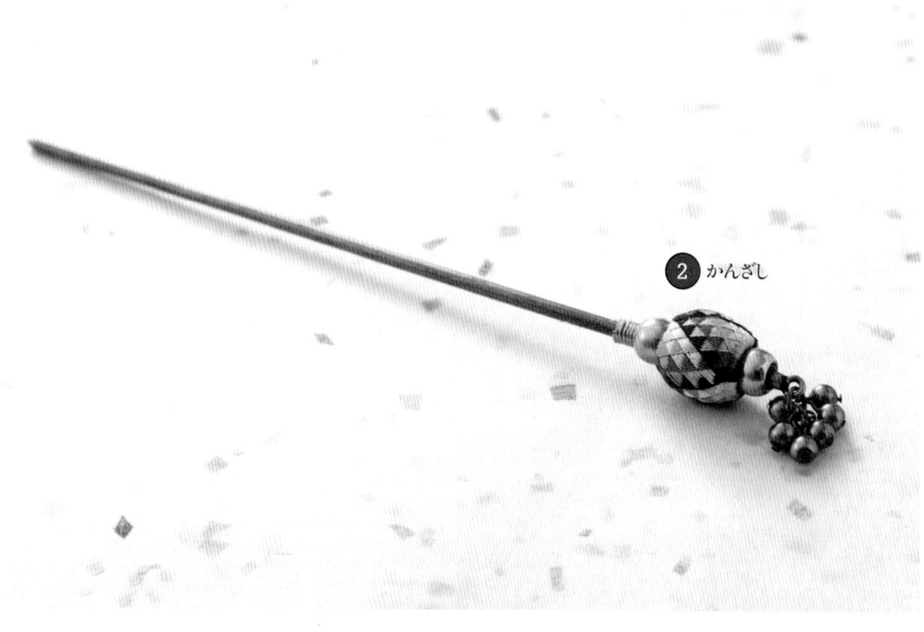

2 かんざし

4
3 ストラップ
5

6 チョーカー
7

 ページ

1 指輪

Point

・全体の作り方
1. 指輪の土台を作ります。
2. 製図の通りに表面をかがります。

・用意するもの
ゆびぬきの材料（ケント紙、絹手縫い糸、バイアス布、和紙、真綿）

1. 指輪の土台を作ります。

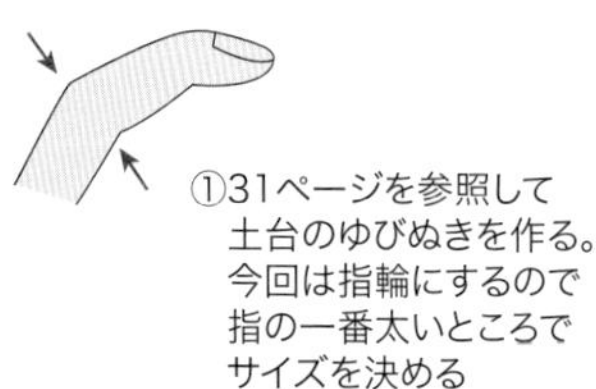

①31ページを参照して
土台のゆびぬきを作る。
今回は指輪にするので
指の一番太いところで
サイズを決める

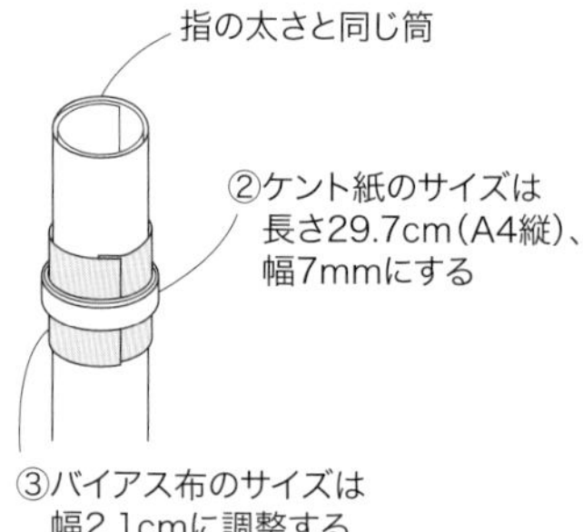

②ケント紙のサイズは
長さ29.7cm（A4縦）、
幅7mmにする
③バイアス布のサイズは
幅2.1cmに調整する
（ケント紙をちょうど包める位の幅）

2. 製図の通りに表面をかがります。

12コマ	2飛び

糸……ベージュ(181)、アイボリー(16)、茶(135)、濃オレンジ(4)、白

作り方

1→（ベージュ）、2→（茶）から始め、5段ごとに互い違いに相手の色をくぐり、2×2の4マスにします。次に←3（白）4→（白）←5（白）6→（白）を1段ずつ交互に表面が埋まるまでかがります。最後は4→で茶1段、6→で濃オレンジ1段で終わります。

製図

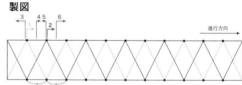

★刺し方は44〜47ページの「市松」を参照

1コマの中での糸の替え方

1→	ベージュ5段→アイボリー5段
2→	茶5段→濃オレンジ5段
←3 4→ ←5 6→	ずっと白→※

※最後に4→で茶1段、6→で濃オレンジ1段

ページ

2 かんざし

Point

・全体の作り方
1. ゆびぬきを作ります。
2. かんざし金具にパーツを通します。

・用意するもの
ゆびぬきの材料（ケント紙、絹手縫い糸、バイアス布、和紙、真綿）、かんざし金具（長さ15cm）1本、メタルビーズ（穴が大きめのもの）2個、ガラスパール（直径4mm）6個、丸カン1個、Tピン6本、ワイヤー（太さ0.5mm）適量、接着剤

1.ゆびぬきを作ります。

ゆびぬきの土台……106ページの1と同じ材料で土台を作ります。筒の大きさだけ直径5mmに替えます。

糸……薄水色(32)、薄緑(31)、エメラルドグリーン(139)、スカイブルー(20)、紺(154)

作り方
1（薄水色）、2（薄緑）、3（エメラルドグリーン）、4（スカイブルー）、5（紺）を1段ずつ交互に、表面が埋まるまでかがります。

1コマの中での糸の替え方

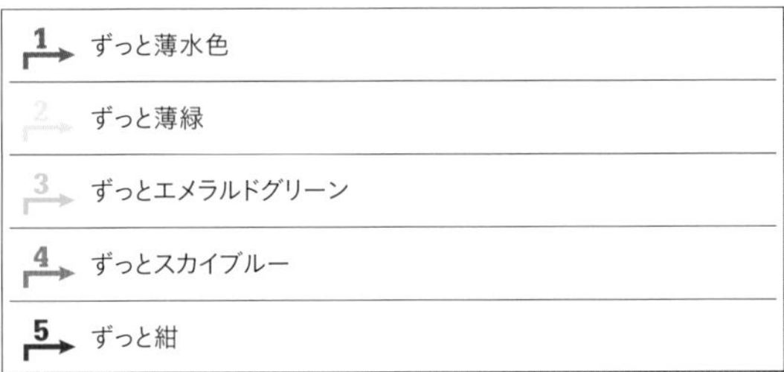

1	ずっと薄水色
2	ずっと薄緑
3	ずっとエメラルドグリーン
4	ずっとスカイブルー
5	ずっと紺

15コマ | 5飛び

製図

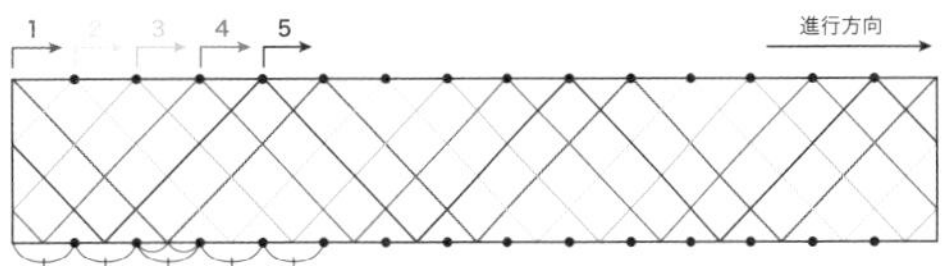

★刺し方は130〜131ページの「五色うろこ」を参照

2.かんざし金具にパーツを通します。

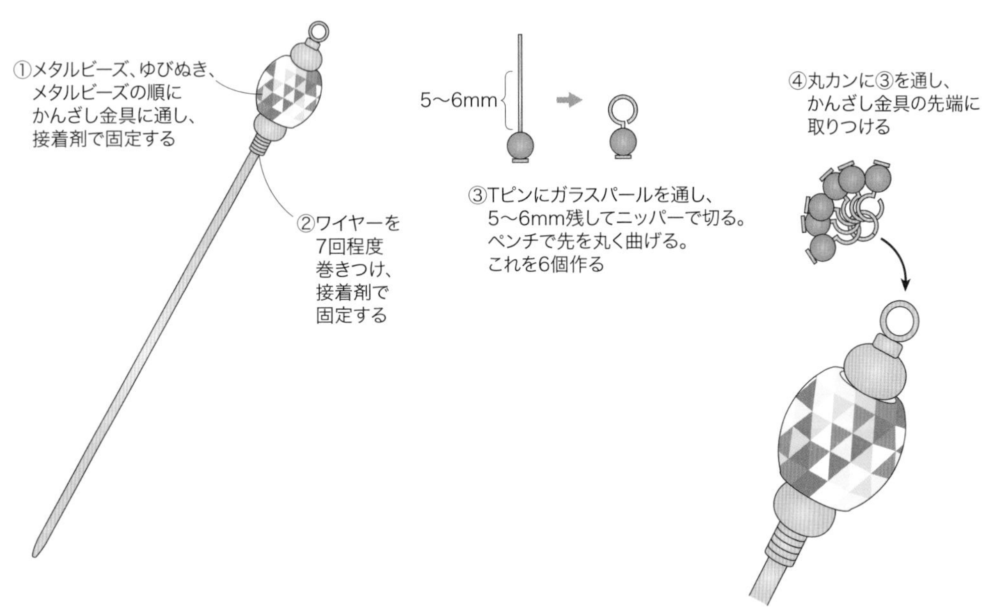

①メタルビーズ、ゆびぬき、
メタルビーズの順に
かんざし金具に通し、
接着剤で固定する
②ワイヤーを
7回程度
巻きつけ、
接着剤で
固定する
5〜6mm
③Tピンにガラスパールを通し、
5〜6mm残してニッパーで切る。
ペンチで先を丸く曲げる。
これを6個作る
④丸カンに③を通し、
かんざし金具の先端に
取りつける

❸❹❺ ストラップ

Point

・全体の作り方
1. ゆびぬきの土台を作ります。
2. 製図の通りに表面をかがります。
3. 他のパーツと組み合わせます。

・用意するもの
ゆびぬきの材料（ケント紙、絹手縫い糸、バイアス布、和紙、真綿）、タッセル（房部分の長さ約6cm）1本、とんぼ玉（直径1cm）1個、鈴（花型）1個、丸カン1個、接着剤

1. ゆびぬきの土台を作ります。

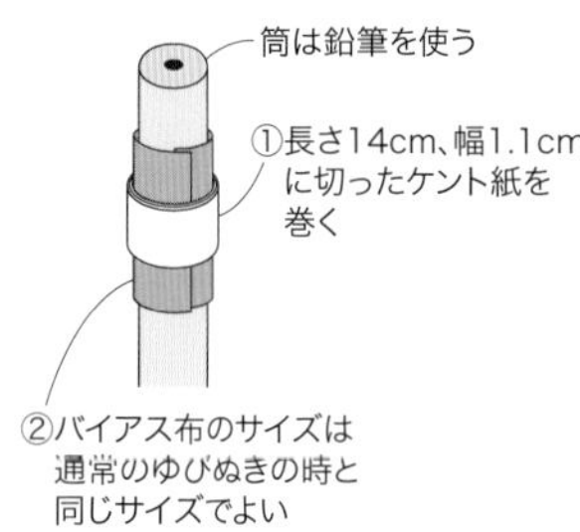

筒は鉛筆を使う
①長さ14cm、幅1.1cmに切ったケント紙を巻く
②バイアス布のサイズは通常のゆびぬきの時と同じサイズでよい

3. 他のパーツと組み合わせます。

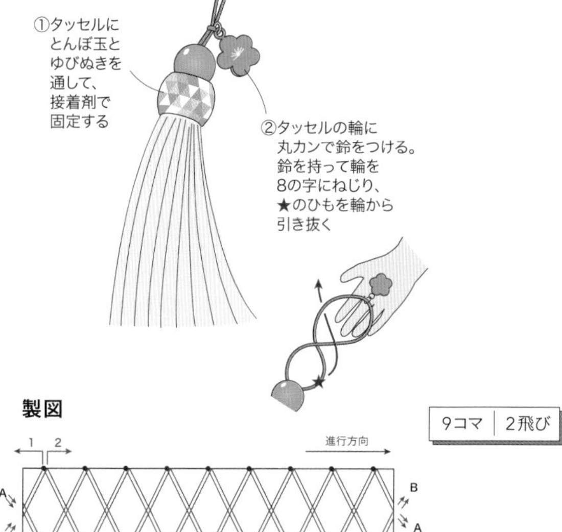

①タッセルにとんぼ玉とゆびぬきを通して、接着剤で固定する
②タッセルの輪に丸カンで鈴をつける。鈴を持って輪を8の字にねじり、★のひもを輪から引き抜く

2. 製図の通りに表面をかがります。

❸ 糸……白、赤（10）

作り方
1（赤）、2（白）を1段ずつ交互に、表面が埋まるまでかがります。

1コマの中での糸の替え方

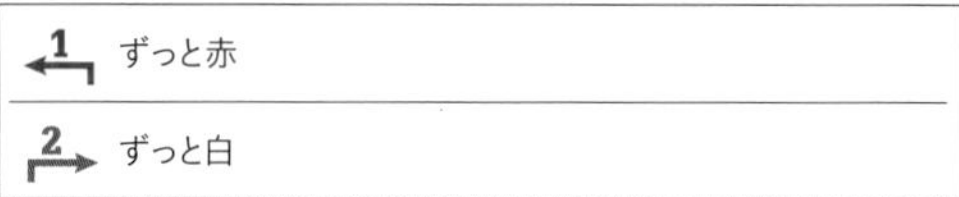

1	ずっと赤
2	ずっと白

製図

9コマ｜2飛び

★刺し方は60〜61ページの「縦うろこ（2飛び）」を参照

❹ 糸……白、黄緑（133）、濃黄緑（134）、緑（29）

作り方
1（白）、2（黄緑）、3（濃黄緑）、4（緑）を1段ずつ交互に、表面が埋まるまでかがります。

1コマの中での糸の替え方

1	ずっと白	3	ずっと濃黄緑
2	ずっと黄緑	4	ずっと緑

12コマ｜4飛び

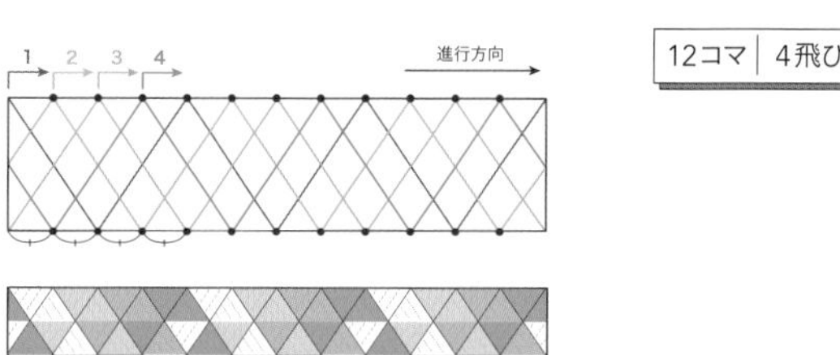

★刺し方は128〜129ページの「四色うろこ」を参照

❺ 糸……白、濃青（144）

作り方
1（濃青）、2（白）を1段ずつ交互に、表面が埋まるまでかがります。

1コマの中での糸の替え方

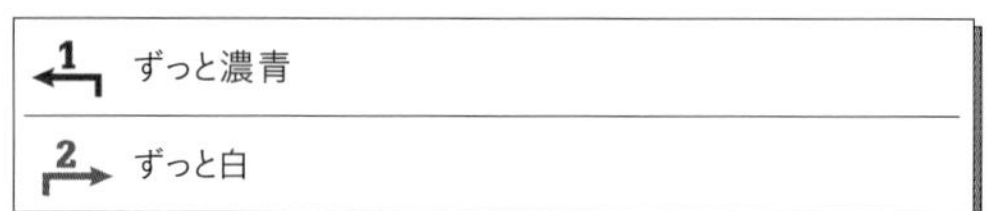

1	ずっと濃青
2	ずっと白

10コマ｜2飛び

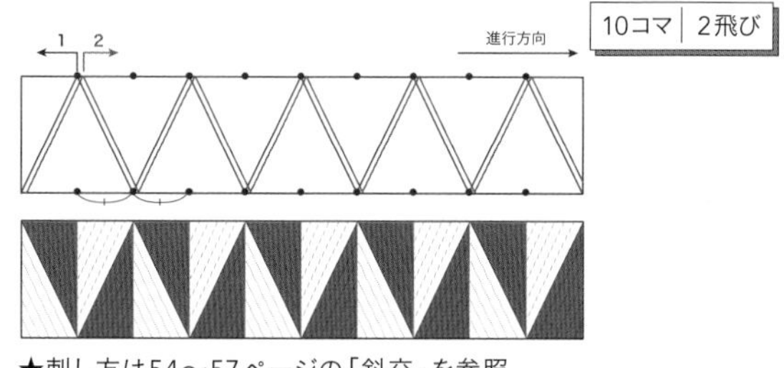

★刺し方は54〜57ページの「斜交」を参照

ページ

6 7 チョーカー

Point

・全体の作り方
1.ゆびぬきを作ります。
2.チョーカーに通します。

・用意するもの,
ゆびぬきの材料（ケント紙、絹手縫い糸、バイアス布、和紙、真綿）、チョーカー（引き輪付き）1本

1.ゆびぬきを作ります。

6 糸……濃緑（148）、白、モスグリーン（113）、黄緑（133）、緑（29）

作り方

（濃緑）から始め、1段ずつ順に、表面が埋まるまでかがります。5段ごとに白1段の縞を入れ、最後は白2段で終わります。

1コマの中での糸の替え方

濃緑5段→白1段→モスグリーン5段→白1段→黄緑5段→白1段→緑5段→白2段

製図

5コマ | 2飛び

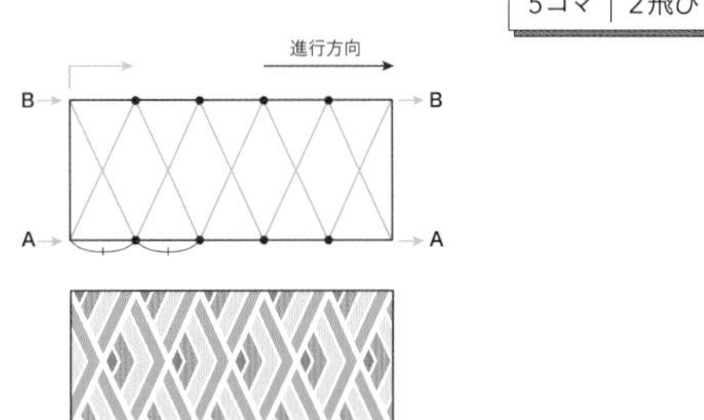

★刺し方は132～133ページの「青海波（2飛び）」を参照

7 糸……白、薄黄（17）、オレンジ（143）、濃オレンジ（5）、赤（10）

作り方

1（白）、2（薄黄）、3（オレンジ）、4（濃オレンジ）、5（赤）を1段ずつ交互に、表面が埋まるまでかがります。

1コマの中での糸の替え方

1 ずっと白	4 ずっと濃オレンジ
2 ずっと薄黄	5 ずっと赤
3 ずっとオレンジ	

製図

15コマ | 5飛び

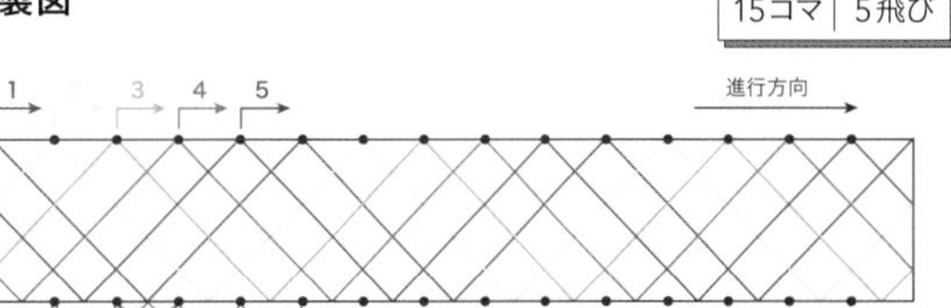

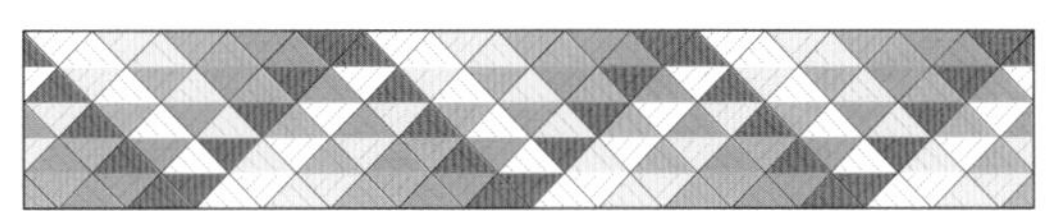

★刺し方は130～131ページの「五色うろこ」を参照

2.チョーカーに通します。

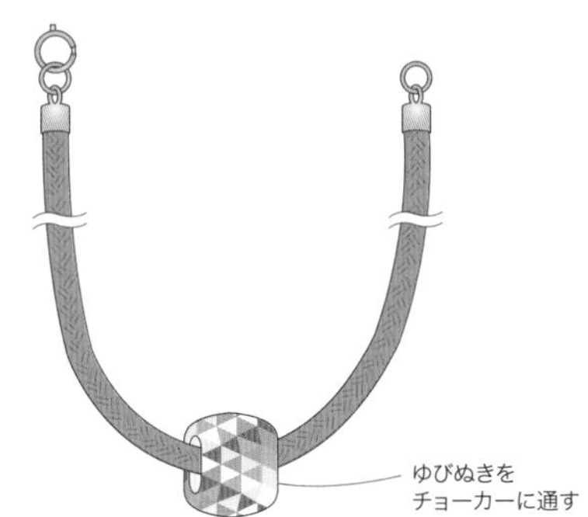

Column 2

加賀ゆびぬきとそれを愛する人たち

十人十色のお道具箱を持ち寄って

毬屋の店の奥に設けられた小部屋には、今日も加賀ゆびぬきを習いに大西さんの元へ通う生徒さんたちが集まります。思い思いの席に腰掛け、お天気の話や家族の話にはじまり、今作っているゆびぬきの話や色の組み合わせのことなど……針を進める手を動かしながら、楽しい会話は尽きません。

そんな生徒さんたちはどのようにしてこの加賀ゆびぬきを知ったのでしょうか。ある方はこう語ります。

「テレビを見ていたら、偶然加賀ゆびぬきを特集するコーナーが映ったんです。その時見たゆびぬきの感動は忘れません。『こんなに美しいものがあるのか』と画面に釘付けでした。もう一つ驚いたのはこれが加賀のものだということです。わたしは同じ県内ですから通えない距離ではないですし、すぐに連絡を取りました。」初めて加賀ゆびぬきに出会った時の話をしてくれる生徒さんたちのお顔はみな、とてもキラキラと輝いています。そして虜になった方たちはみな、毎日のようにゆびぬき作りに励みます。「3日と針を持たない日があると、なんだか落ち着かなくて。それくらい今はゆびぬきが身近なものになりました。」

1回のお教室は2時間。月に2回の講習です。1回ごとに作るゆびぬきを決め、おのおの自分のノートに製図を起こしていきます。「これがね、時間がかかるんです。2時間なんてあっという間で、製図を描いている時間のほうが長いくらい。」そして課題を仕上げ、次回の教室で持ち寄ります。みな思い思いの色の絹糸で仕上げてくるので、同じ製図でもできあがったゆびぬきはまるで別の作品のよう。作りためた作品を眺めてみると、その人ならではの色の傾向があることに気づきます。「人に性格があるように、作品もその人のカラーが出るのですね。」と大西さん。「時々、普段は使わないような色にチャレンジしてみることもあるんですよ。新鮮なんだけど、どうも針が進まなくて」とある生徒さんは笑います。みんなと集まりながら作るこの2時間が、生徒さんたちにはとても有意義で貴重な時間のようでした。

生徒のみなさんの作品を見せていただきました

縦に並べられたグラデーションのゆびぬきが美しい作品。白糸と色糸の2色で作られたゆびぬきはどこか潔い印象。色数が多くなくても魅力的な作品が作れるという見本のよう。

この地方の郷土玩具「加賀八幡起き上がり」がかがられたゆびぬき。製図が描けるようになれば複雑に入り込んだ図案もゆびぬきに再現できます。あとからステッチを施すというテクニックも。

小さな布箱にお手製のゆびぬきを詰めて。布箱の表面には日本刺繍を施しました。この教室では時々生徒が先生になって、パッチワークや刺繍の話に花が咲くことも。

縞の図案の中に丸や月、トランプ柄のハートやクローバーなどが入ったゆびぬき。くぐり刺しの技法で作れます。編み出した図案を小さなゆびぬきの世界に落としこむ作業も、針仕事の醍醐味。

ゆびぬきに魅せられた人々

ゆびぬきの好きなところは？　と問いかけると、さまざまな答えが返って来ました。少しのスペースで作業でき、場所を選ばないところ。材料や用具が少なくてすむところ。とにかく美しくて綺麗なところ……今年で教室に通い始めて10年めになるという生徒さんはこう話します。「長い間ゆびぬきを作っていても、模様は限りなくあって尽きることがありません。色を変えれば雰囲気も変わるし、奥が深いなあと感じます。」模様や色合いの虜になる人も多いよう。また、ゆびぬきならではの絹糸の艶感がたまらなく好きと語る生徒さんもいました。始めるまでは憧れでしかなかったゆびぬきを、今は自分の手でこうして作り出せる……その喜びが今もなおゆびぬき作りの原動力になり、新たなゆびぬきが生まれる素になっているようです。みなそれぞれに、加賀ゆびぬきに魅せられて日々針を動かします。

公募展に向けて

毬屋では定期的に作品展などのイベントを企画しています。そんな時に実行委員としてお手伝いしてくれるのも教室の生徒さん。この時は金沢21世紀美術館で行われるゆびぬきの全国公募展に向けて、届いた作品の整理や会場のレイアウトなどの打ち合わせの準備に取りかかっている最中でした。お教室の枠を超えてゆびぬきを好きな人たちみんなで楽しめる場があったら素敵だなという、大西さんの思いに共鳴して、一から立ち上げた大きなイベントです。展示には紙製の風車を使い、ダイナミックに会場に並ぶ風車と全国各地から集まるゆびぬきとのコラボレーションに、今から胸が膨らみます。

海外へ旅行に行った時に、行った先の人たちにゆびぬきを配って回るという方や、国内だけでなくいずれは海外で個展を開いてみたい、という生徒さんも。いつかゆびぬきが世界中に広まればいいのに、そうなったら各国でコンテストできるね。などと生徒さんたちの夢も広がります。ゆびぬきを何よりも愛し、熱意を傾ける人たちがいて、加賀ゆびぬきは少しずつ広まりを見せています。

6

ゆびぬき作りのコツとポイント

配色について

**ゆびぬきの仕上がりを大きく左右するのが、絹糸やバイアス布の配色。
効果的な色の選び方や配置を知っておきましょう。**

1 色に彩度、明度で緩急をつける

絹糸を選ぶ時に、彩度や明度を気にかけてみましょう。彩度とは色の鮮やかさの度合いを指し、明度とは色の持つ明るさや暗さの度合いのことを指します。彩度が上がると色はビビッドになり、彩度を下げると色のない白黒になります。また明度を上げるとどんどん明るくなりやがては白に近づきます。逆に明度を下げると黒に近づきます。

ひとつのゆびぬきの中で、彩度の高い色ばかり、また彩度の低い色ばかりで模様を構成すると、メリハリのない作品になってしまいます。明度に関しても同様です。シックな色合いの糸をメインに使ったら、明るい色の糸を意識的に入れ込むなど、彩度と明度のバランスを見ながら作品に緩急を取り入れましょう。

2 明るい差し色は明度が肝心

作品に差し色を取り入れる場合は、明度に注目します。明度の高い色はにごりやくすみがなく、明度が上がるほど白に近づきます。左上の写真のゆびぬきを見てみましょう。最後の模様の仕上げに1本、差し色の絹糸が入っています。左の作品は白糸を入れ、全体的に明るい印象に仕上がっています。右の作品はくすみのない赤色の糸を選びました。模様がはっきりし、作品にぱきっとメリハリがついています。

左下の矢羽根模様のようなシンプルな配色では、明るい方の色の選び方で雰囲気が変わります。白を選ぶとはっきりとした印象に。少し明度を下げてベージュにすると落ち着いた印象になります。

3 主張の強い色は区切りに無彩色を

濃い色や派手な色など、主張のある色ばかりで構成されたデザインの場合、色がにごって見えることがあります。そのような場合は色の区切りに無彩色を意識的に取り入れてみましょう。

無彩色とは白、灰色、黒など、明度のみを持つ色のことを言います。右の作品はブルー系の作品の中に白糸を配し、区切りをはっきりさせたことで模様がより明確に現れるようになりました。全体の配色によっては灰色や黒を区切りの色として用いるほうが効果的な場合もあります。

4 模様が細かいほど色を派手にする

大きい模様のゆびぬきを作る時は、全体的に薄い色を選んでも存在感が出ます。ひとつひとつの色の面積が広く、目に入って来やすいためです。逆に細かい模様のゆびぬきを作る時は、意識して主張のある色の糸を取り入れるようにしましょう。淡くて主張のない色だけで構成すると、模様がはっきり出ず、せっかくの柄の効果が現れません。

写真の左側は青海波に縞を入れたもの、右側はシンプルな二色うろこです。二色うろこの方は白と水色という組み合わせですが、しっかりと柄が出ています。青海波の方はブルーのグラデーションにして、主張のある色も取り入れ、模様がしっかりと現れるように工夫しています。

5 気に入った葉書や雑誌の切り抜きを色の参考にする

ゆびぬきの配色は普段目にするものから自由にインスピレーションを得ましょう。きれいな配色の葉書や雑誌のページなどがあれば、ファイルなどにスクラップしておき、作品作りの時に見返して参考にするとよいでしょう。自分で写真を撮って集めたり、気に入った画像を携帯の中に保存しておくのも有効です。

右上の写真は、チョコレート店の冊子からインスピレーションを得て作ったゆびぬき。地の赤、お皿の白、チョコレートの茶色がうまく組み合わされています。

下の写真は雑誌に載っていた手帳の柄からヒントを得ました。黒地をベースに、赤い象や黄色い花などから絹糸の色をバランスよくチョイスしています。

6 色の分量に注目する

冊子や葉書、切り抜きなど、何かを参考にする時は必ず色の分量に注目してみましょう。メインの色をどれにするか、差し色をどれにするか、どのような配置にするかによって、同じ製図のゆびぬきでも仕上がりが変わってきます。

色の分量を決める時は「配色について」の1～4を参考にして、彩度や明度のバランスを決め、柄が細かい場合はやや色を派手にするなど工夫しましょう。

写真の左はうろこ柄のお香の紙袋を参考にして作った、青海波模様のゆびぬき。エメラルドグリーンの糸をメインに、明度の高い白糸やオレンジの糸でメリハリのある仕上がりにしました。

7 バイアス布の色を吟味する

ゆびぬきの印象を決めるのは絹糸の色だけではありません。内側に使うバイアス布の色も大きなポイントになるので、作品ごとにぜひ吟味しましょう。

右の写真は4つとも赤の絹糸をメインに作られたゆびぬきですが、内側のバイアス布の色を変えています。バイアス布の色選びに特にルールはありませんが、メインの糸と同色のバイアス布を選べばすっきりとした印象に、全く色の違うバイアス布を選べば主張のある印象に仕上がります。

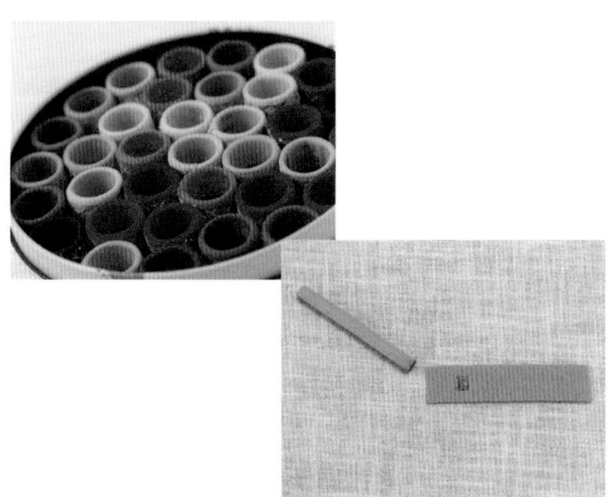

土台のゆびぬきの元となるしんは、真綿を巻いていない状態のものであれば作り置きしておくことができます。真綿は、ゆびぬきに巻いてからしばらくすると緩んでくるので、かがる前に巻きつけるようにします。さまざまな色のバイアス布でしんをいくつか作っておくと、かがる前に好みの色のしんを選ぶことができて便利です。

また、ゆびぬきの内側になる部分のバイアス布に落款を押すのもおすすめです。自分の名前などをデザインした落款やはんこを使うと、仕上がったゆびぬきのオリジナリティが増し、よりいっそう作品に愛着が湧くことでしょう。

バイアス布は市販のもので構いませんが、自分で作ることもできます。用意するものは好きな柄の木綿のハギレと定規、鉛筆、はさみです。

まずハギレをシワを伸ばして置き、定規で線を引きます。布は斜め方向に伸びる性質があるので、布目線に対して45度になるように引きます。この線から3cm離してもう1本線を引き、はさみで切り取ります。これで3cm幅のバイアス布ができあがりました。

手作りのバイアス布のよいところは自分の気に入った布や柄で作れることです。柄入りのバイアス布はゆびぬきの模様とのバランスがポイントになりますが、上手に使いこなしてみましょう。

かがり方について

かがり方にもいくつかのポイントがあります。
きれいな仕上がりのゆびぬきになるよう、ぜひチェックしておきましょう。

1 糸は引きすぎず、そっと引く

糸をバイアス布にかがって引く時は、ぎゅっといっぱいまで引き締めるのではなく、そっとやさしく引くようにします。心持ち緩めにするくらいで大丈夫です。この時のポイントはゆびぬきに添えている左手の親指で、かがっている糸をキワまで押さえて引くこと。こうすることで引きすぎを防ぎます。

強く引いてしまうと、引いたところの糸の断面は少し細くなります。そのまま続けてかがると糸の並びが均等でなくなり、見た目の美しくないゆびぬきになってしまいます。糸はふんわりと引くように心がけます。

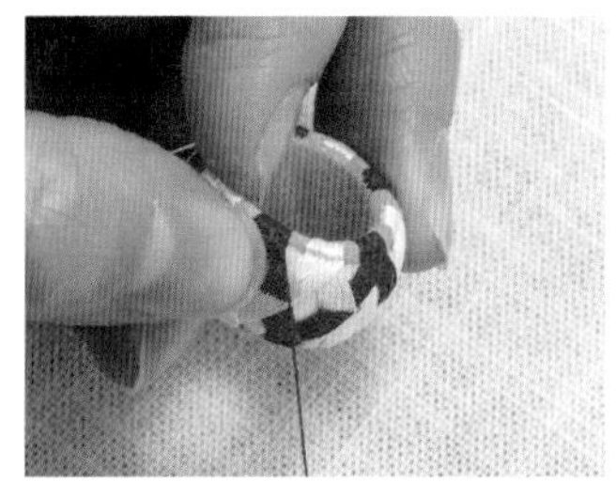

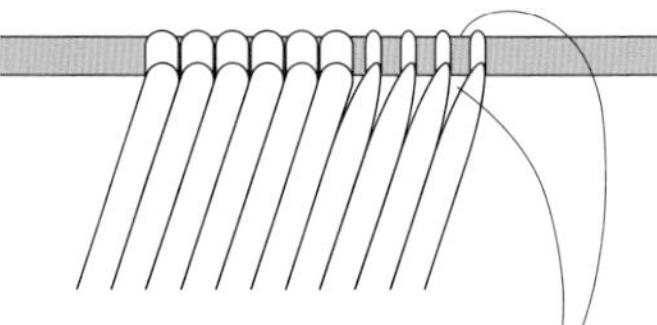

強く引いた方は
糸が細くなり、
すき間ができる

2 糸を引く向きは和紙の側へ

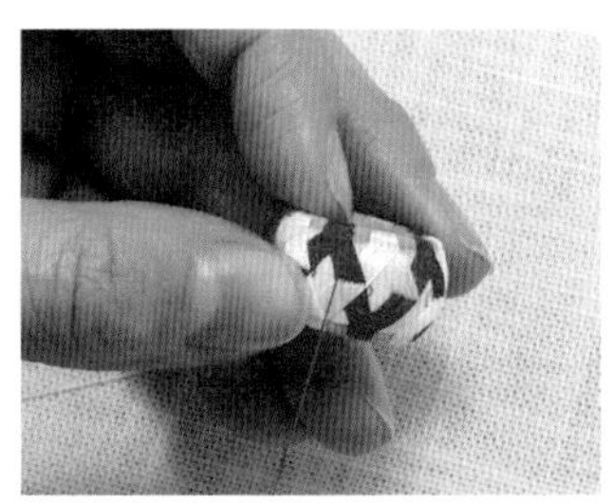

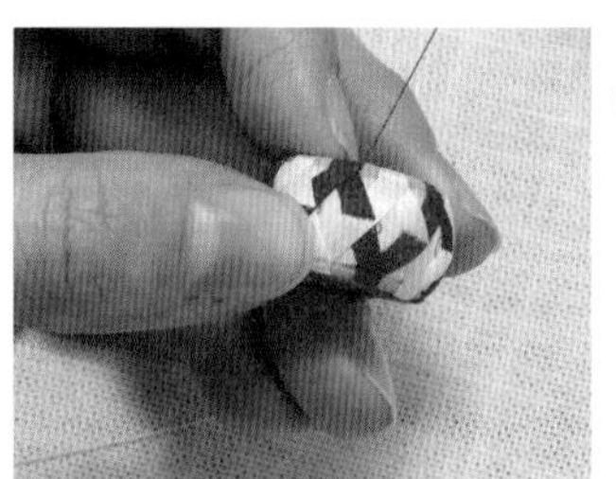

NG

糸を引く向きにも気をつけましょう。糸は必ず下方向に（和紙の側に）引きます。こうすることでかがり目がゆるまず綺麗に整います。きちんと引き締めたいという気持ちから、糸を上方向へ引き締めそうになりますが、これは逆効果です。糸を引く時はいつも均等な力加減で、下方向に引くことが大事です。

3 糸のクセ直しはその都度行う

かがりはじめの糸のクセ直しは、34ページにある通りに行いますが、これは作り始めだけでなく、糸がねじれてきた時や、絡まった糸をほどいた時など、糸にクセが付いた時にはその都度行います。その時、両手に糸を持って引っ張りながら、右手の親指でパチンパチンと糸を弾くと効果的です。ですが実際は糸を弾くことより、しっかりと糸を引っ張ることの方がクセ直しには重要です。糸を指で弾いてもうまくクセ直しができない時は糸の引っ張りが足りません。思い切って引っ張ってください。

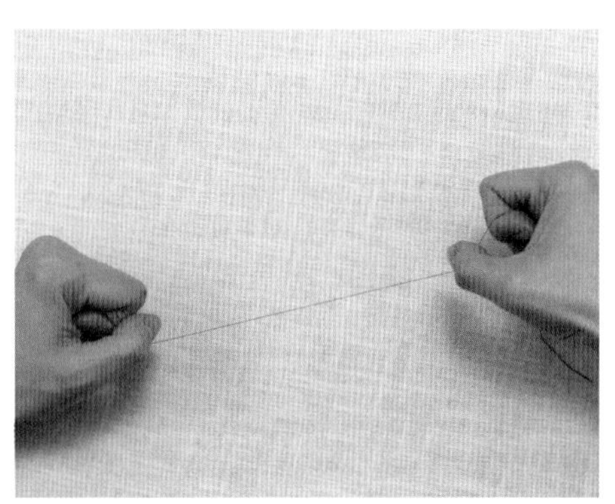

4 絡まないように糸を引くときにひと工夫する

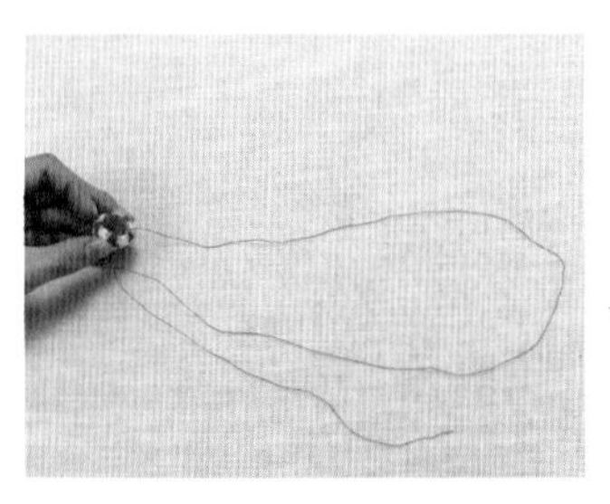

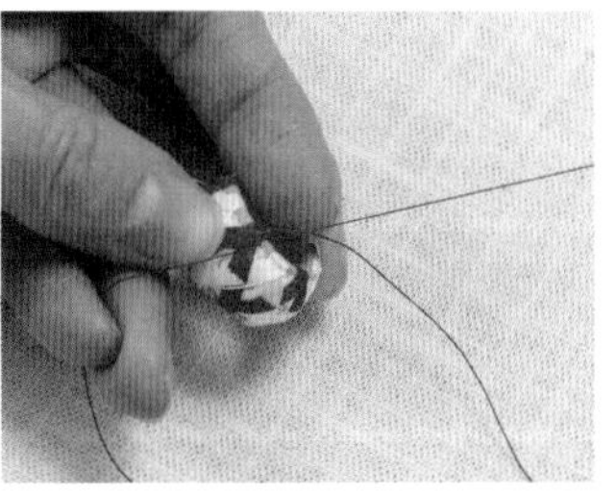

針に長めの糸を通しながらかがっていると、糸を引く時に絡まることがあります。これを防ぐためにはかがる時の糸を輪のように広げ、糸同士が触れ合わないように気をつけます。そのため、糸を引く時に左手の薬指と小指で糸を挟み、ガイドのようにするのも効果的です。一度絡まると解くのが面倒なばかりか、糸にクセが付いてしまうため、なるべく絡まないようにしましょう。

うまくいかない時のチェックポイント

**ゆびぬきを作る時に困ったことが起きた時は、ここを確認してみましょう。
なにかヒントが見つかるはずです。**

Q1 作っていくうちに模様がゆがんでしまう

原因は大きく2つ考えられます

A 1段めが均等になっていない

土台のゆびぬきを作る時に、かがりはじめの1段めがずれていないか確認しましょう。上下の等分印が垂直ではなく、ずれていると模様がゆがむ原因になります。このままかがっていくと模様がゆがんだり、すき間ができる原因となるため、上下の等分印でまっすぐ垂直になるよう見直しましょう。

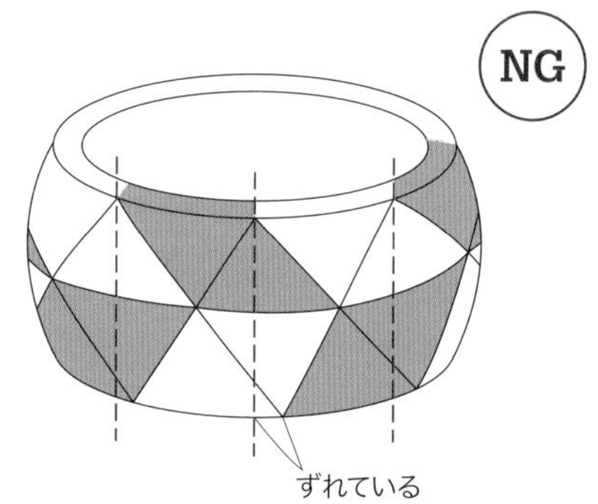

A かがり進めるうちに詰め具合の差ができてしまう

かがり始めのスタートはかがり目が揃っているにもかかわらず、終わりが不揃いにすき間ができる場合があります。このような時は多くの場合、糸の詰め具合に原因があります。ひとコマの中に均等に糸が配列するよう気をつけながらかがりましょう。半分くらいまでできた時に、均等に進んでいるか全体を確認しましょう。

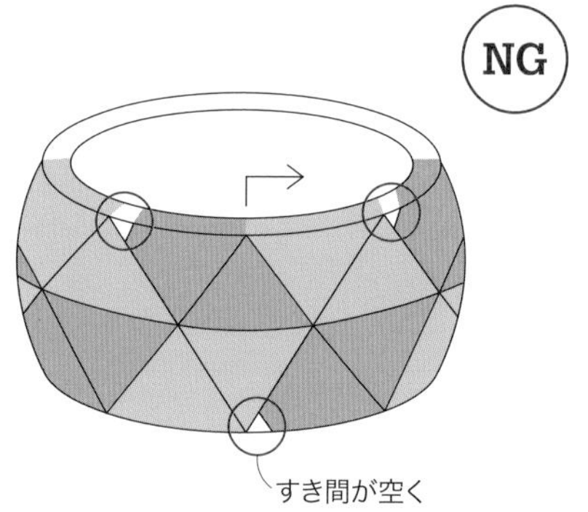

Q2 糸を継ぎ足す時にすき間が空く

A 2段めをかがるときに工夫する

色替えなどで糸を新しく継ぎ足す時はすき間が空きやすくなります。これを修正するためには、2段めをかがる時に針先で、1段めでかがった色替えの糸を左側に寄せるようにします。

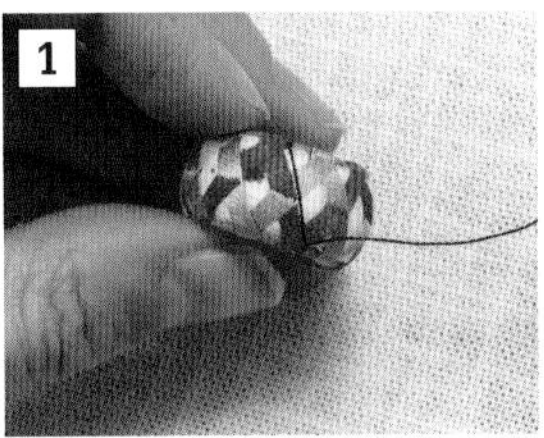

色替えをしてかがり始めたところ。ややすき間が空いている。

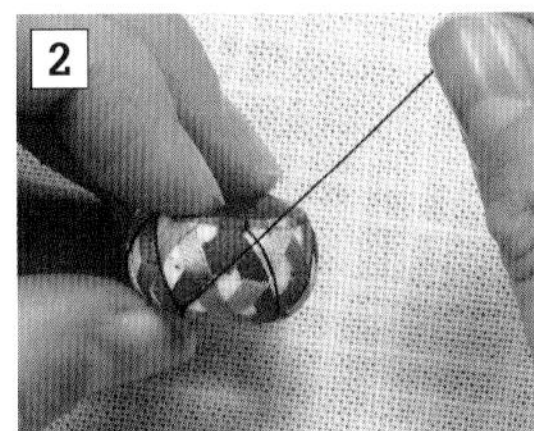

一周したところ。

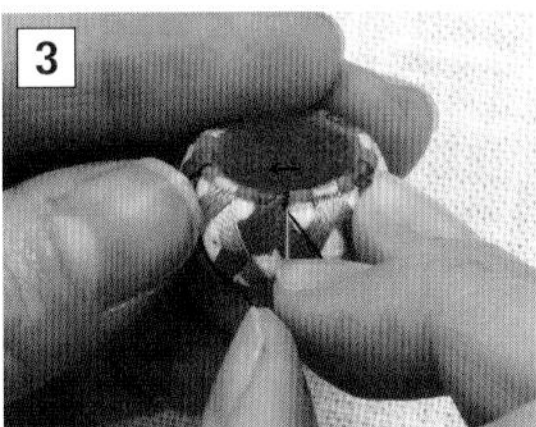

1段めでかがった糸を針先で左側に寄せ、すき間をなくす。

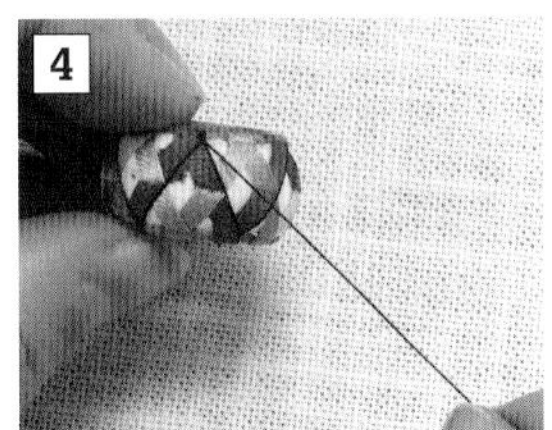

左側に寄せた状態でかがる。すき間がなくなった。

Q3 糸の間がスカスカになる

A 詰め足りない

土台のゆびぬきが透けて見えてしまうほど糸の間がスカスカになるのは、糸が詰め足りない証拠です。針で布をすくう時に、前の糸にぴったり寄せてすき間なくかがっていきましょう。スカスカになってしまったゆびぬきは、見た目が良くないばかりか絹糸が並んだ時の艶感もなくなってしまうので輝きが出なくなってしまいます。

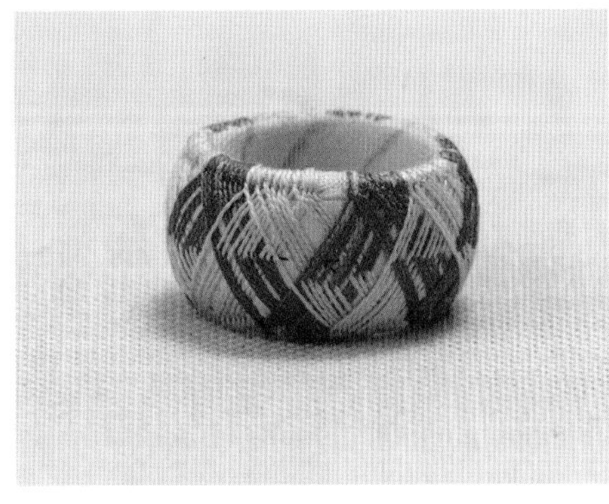

Q4 バイアス布が重なっているところで模様がゆがむ

A 真綿の巻き方で厚みを均一にする

土台のゆびぬきを作る時に、バイアス布が重なる部分ができます。どうしてもここだけ厚みが出てしまうので絹糸をかがる時に模様がゆがむなどの影響が出てきます。真綿を巻く量が少なすぎると布の凹凸が目立つので、布の凹凸を均等にならすような感覚でしっかりと真綿を巻きましょう。

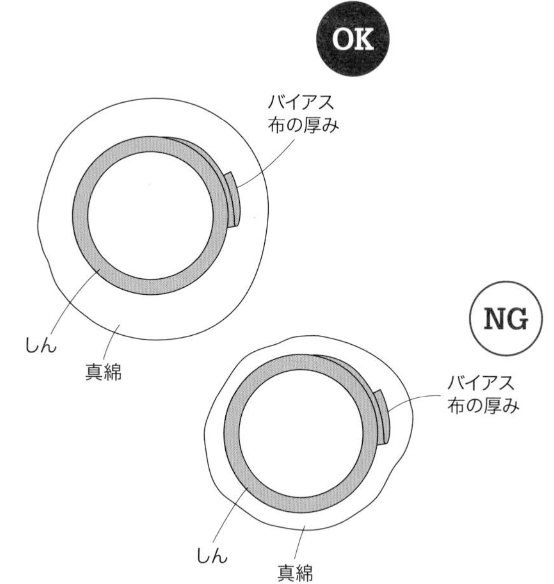

Q5 配色によって詰め方に差が出る

A 目の錯覚が引き起こしている場合も

配色によっては、膨張して見える色とそうでないものがあり、気をつけてかがらないと膨張して見える色はどんどんすき間が空いていくことがあります。特に白系の糸はすき間が空きがちになるので意識して詰めながらかがりましょう。また開き刺しのゆびぬきは、左側に刺していく方の糸が緩みがちになりますので気をつけましょう。

Q6 土台のふちがガタガタになってしまう

A バイアス布のすくい方を工夫する

かがり進めるうちにどんどんすくう量が少なくなり、針にかかる布が短くなることがあります。これが、ふちがガタガタになってしまう原因のひとつです。そんな時はバイアス布を針ですくう時に、ほんの少しだけ奥に、多めにすくうようにしましょう。常にすくう量を一定に、常にやや多めにすくうことを意識しましょう。

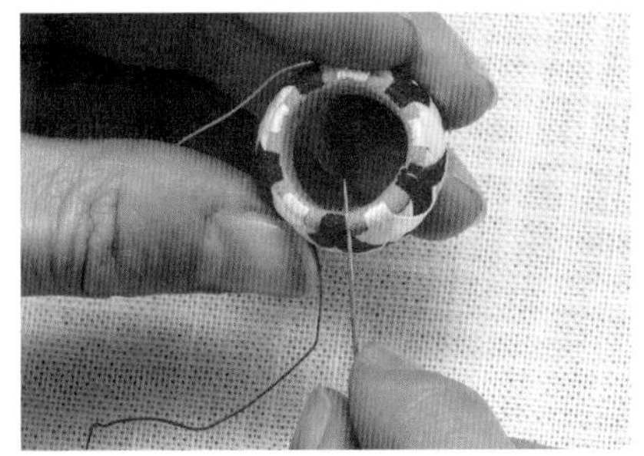

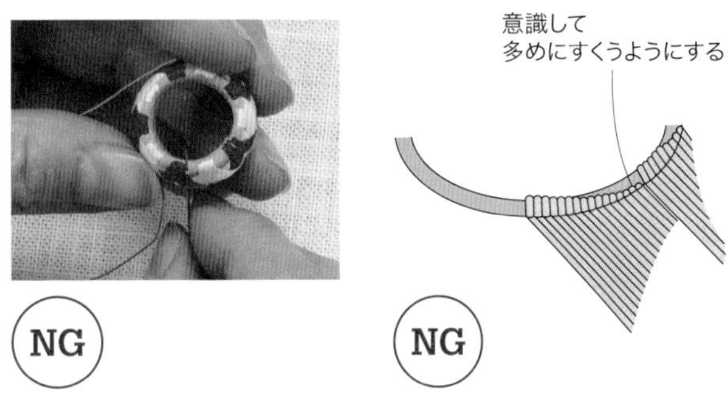

Q7 バイアス布に穴が開く

A 布を引く時の力が強すぎる

かがり進めるうちに、バイアス布に穴が空くことがあります。これは糸で布を力いっぱい引っ張っている証拠。糸を引く時はやさしくそっと引くようにします。また、土台のゆびぬきを作る時にバイアス布に適度なゆるみを残しておくことも大事です。

8–9ページ

ⓐ 矢鱈縞

Point

基本の糸のかがり方を覚えましょう。糸がきれいに並ぶように、すき間ができたりねじれたりしないように慎重にかがります。輪の大きさによって並ぶ糸の本数が変わります。なので最後の色が太くなったり細くなったりは、お好みで決めてください。

1

10コマ｜2飛び

糸……濃青（144）、青（118）、水色（116）、薄水色（115）、白

作り方

（濃青）から始め、1段ずつ順に、表面が埋まるまでかがります。下の表に沿って糸を替えながらかがります。

製図

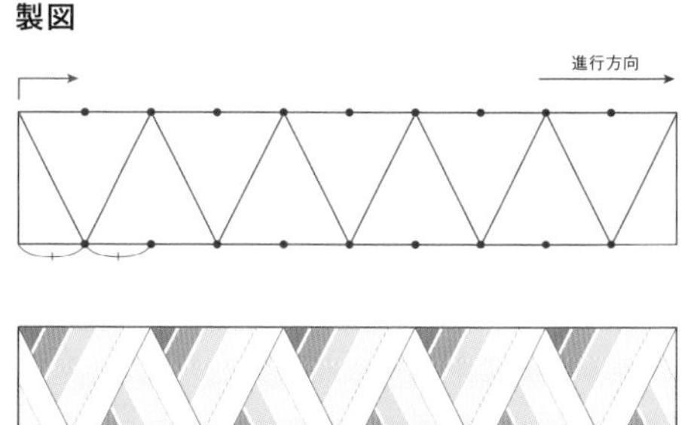

1コマの中での糸の替え方

濃青7段→白1段→青7段→白1段→水色7段→白1段→薄水色7段→白7段

2

10コマ｜2飛び

糸……水色（85）、濃青（144）、白

作り方

（水色）から始め、1段ずつ順に、表面が埋まるまでかがります。下の表に沿って糸を替えながらかがります。

製図

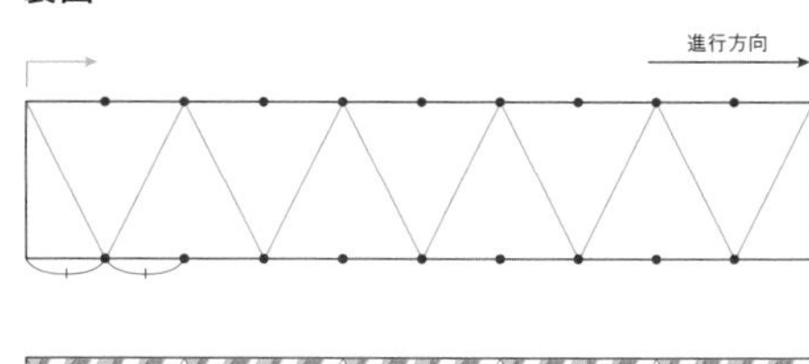

1コマの中での糸の替え方

水色4段→濃青2段→白4段→水色2段→濃青4段→白2段→水色4段→濃青2段→白4段→水色2段→濃青4段→白（残り）

3

10コマ｜2飛び

糸……紫（22）、白、抹茶（162）

作り方

（紫）から始め、1段ずつ順に、表面が埋まるまでかがります。下の表に沿って糸を替えながらかがります。

製図

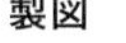

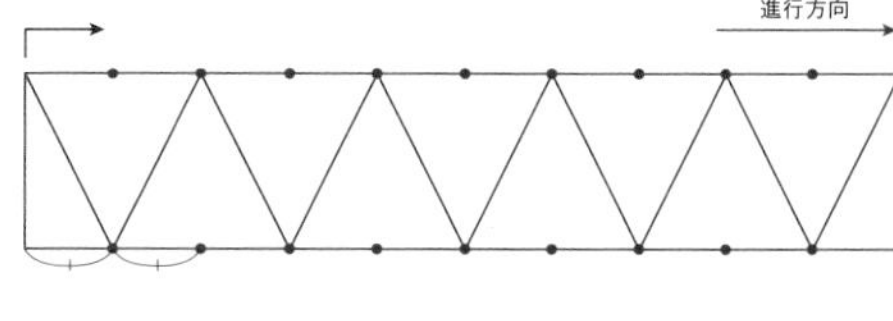

1コマの中での糸の替え方

紫5段→白5段→抹茶5段→紫5段→白5段→抹茶5段→紫5段→白5段

4

10コマ | 2飛び

糸……薄黄（17）、ピンク（171）、赤紫（89）

作り方

（薄黄）から始め、1段ずつ順に、表面が埋まるまでかがります。下の表に沿って糸を替えながらかがります。

製図

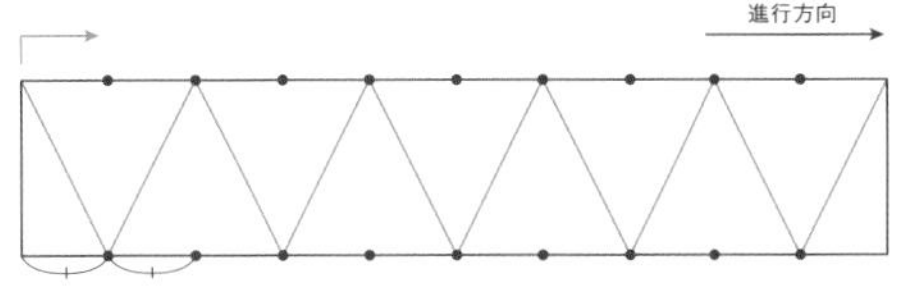

赤紫を入れ終わるところまでで1コマになるよう、本数を加減してください。

1コマの中での糸の替え方

薄黄2段→ピンク1段→薄黄2段→ピンク1段→薄黄2段→ピンク1段→薄黄2段→赤紫6段→薄黄2段→ピンク1段→薄黄2段→ピンク1段→薄黄2段→ピンク1段→薄黄2段→赤紫6段→薄黄1段

5

10コマ | 2飛び

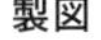

糸 …… 生成（00）、オレンジ（143）、赤（10）

作り方

（生成）から始め、1段ずつ順に、表面が埋まるまでかがります。下の表に沿って糸を替えながらかがります。

製図

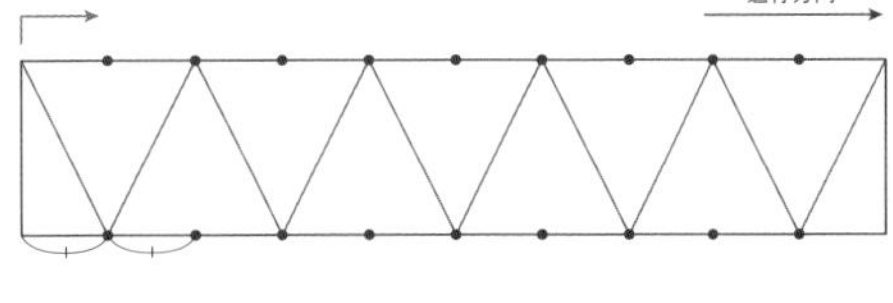

1コマの中での糸の替え方

生成4段→オレンジ4段→生成1段→赤2段→生成4段→赤4段→生成1段→オレンジ2段→生成4段→オレンジ4段→生成1段→赤2段→生成4段→赤4段

10-11ページ

b 二色うろこ

Point

上下の糸の並びがきちんと均等に組み合わさると、糸の重なりが中央で一直線に並びます。1段交互のルールを守って丁寧に並べていきましょう。円周全体に矢鱈縞と同じ本数が並ぶので、縞を入れるときには自分の本数を数えてみましょう。

2

10コマ | 2飛び

糸……ピンク(169)、白、オレンジ(175)、黄緑(162)、クリーム(196)

作り方

1→(ピンク)、2→(黄緑)を1段ずつ交互にかがります。半コマ進んだところで白を1段かがります。残りは1→(オレンジ)、2→(クリーム)で1段ずつ交互にかがり、最後は1→2→とも白1段で終わります。

製図

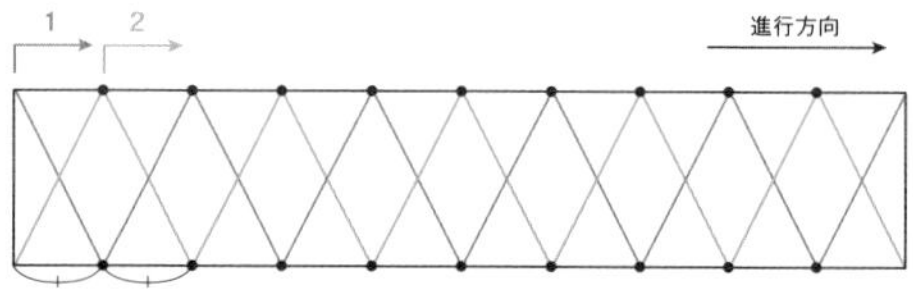

1コマの中での糸の替え方

1→	ピンク9段→白1段→オレンジ9段→白1段
2→	黄緑9段→白1段→クリーム9段→白1段

3

10コマ | 2飛び

糸……白、黄緑(162)、緑(112)、赤(10)

作り方

1→(白)、2→(赤)を1段ずつ交互にかがります。1→は下の表に沿って途中で黄緑と緑の縞を入れます。

製図

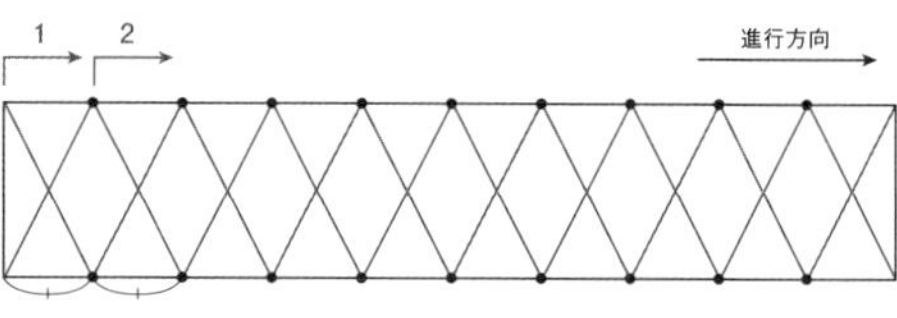

1コマの中での糸の替え方

1→	白4段→黄緑1段→白4段→緑1段→白4段→黄緑1段→白4段→緑1段→白1段
2→	ずっと赤

4

10コマ｜2飛び

糸……黄(196)、黄緑(133)、緑(139)、紫(22)、深緑(28)

作り方

1→(黄)、2→(黄緑)を1段ずつ交互にかがります。2→は5段ごとに黄緑、緑、紫、深緑の順に色を替えてかがり、最後は黄1段で終わります。

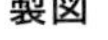

製図

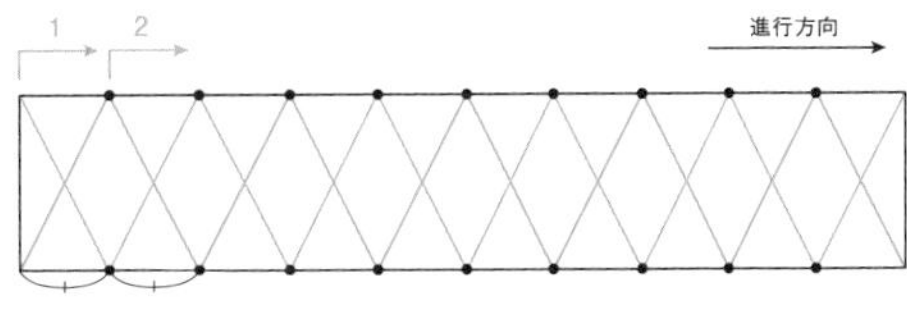

1コマの中での糸の替え方

1→	ずっと黄
2→	黄緑5段→緑5段→紫5段→深緑5段→黄1段

5

10コマ｜2飛び

糸……黒、白、青(21)

作り方

1→(黒)、2→(青)を1段ずつ交互にかがります。1→2→とも3段おきに白1段の縞を入れます。

製図

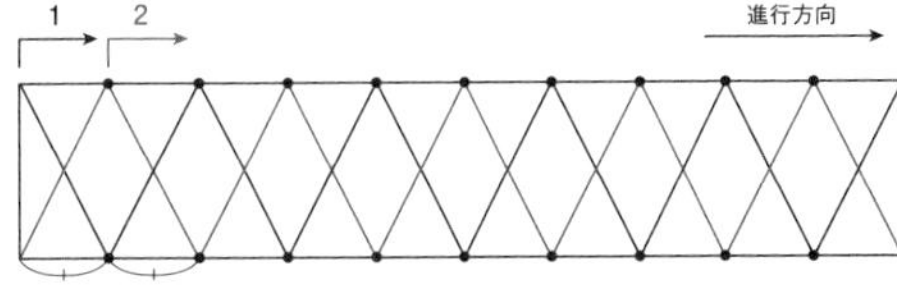

1コマの中での糸の替え方

1→	黒3段→白1段→黒3段→白1段→黒3段→白1段→黒3段→白1段→黒3段→白1段
2→	青3段→白1段→青3段→白1段→青3段→白1段→青3段→白1段→青3段→白1段

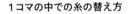

12–13ページ

ⓒ 三色うろこ

Point

等分の印と印の間を目分量でかがることになります。均等に仕上がるように、1段めを慎重にかがりましょう。糸に針をつけっぱなしにすると絡みやすいので、わたしはその都度、糸を新たに通しています。

1

12コマ｜3飛び

糸……クリーム色(142)、薄オレンジ(175)、濃オレンジ(5)

作り方

1→(クリーム色)、2→(薄オレンジ)、3→(濃オレンジ)を1段ずつ交互に、表面が埋まるまでかがります。

製図

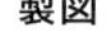

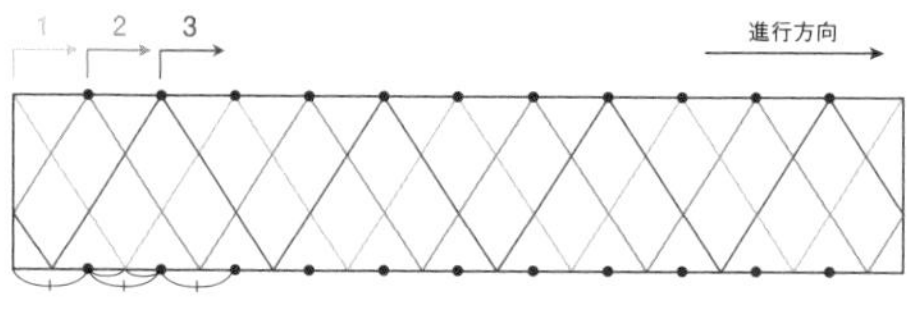

1コマの中での糸の替え方

1→ ずっとクリーム色	3→ ずっと濃オレンジ
2→ ずっと薄オレンジ	

2

12コマ｜3飛び

糸……緑(112)、水色(85)、赤(10)、黄(196)、オレンジ(143)

作り方

1→(緑)、2→(水色)、3→(赤)を1段ずつ交互に6段かがります。残りは1→2→3→とも黄で1段ずつ交互にかがり、最後はオレンジ1段で終わります。

製図

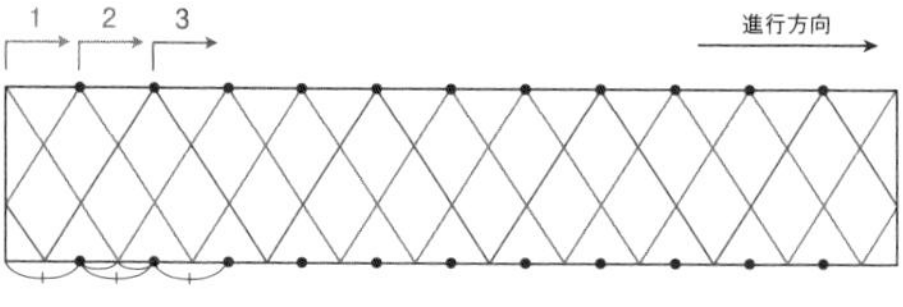

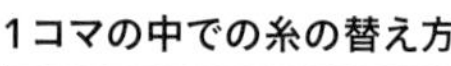

1コマの中での糸の替え方

1→ 緑6段→黄(残り)→オレンジ1段	3→ 赤6段→黄(残り)→オレンジ1段
2→ 水色6段→黄(残り)→オレンジ1段	

3

12コマ｜3飛び

糸……白、パッチワークいと 段染めD

作り方

1→2→3→とも白で1段ずつ交互にかがります。1→と2→は下の表に沿って5段ごとに縞を入れます。

製図

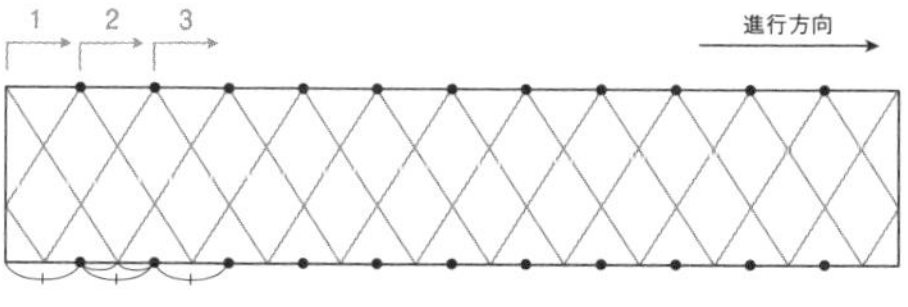

1コマの中での糸の替え方

1→ 2→	白5段→段染め糸1段→白5段→段染め糸1段→白5段→段染め糸1段
3→	ずっと白

4

糸……濃緑(28)、緑(112)、抹茶(162)、黄緑(133)、薄水色(115)、エメラルドグリーン(139)、白

作り方

1→(濃緑)、2→(抹茶)、3→(薄水色)を1段ずつ交互にかがります。半コマ進んだところで白を1段かがります。残りは1→(緑)、2→(黄緑)、3→(エメラルドグリーン)で1段ずつ交互にかがり、最後は1→2→3→とも白1段で終わります。

1コマの中での糸の替え方

1→ 濃緑7段→白1段→緑7段→白1段	3→ 薄水色7段→白1段→エメラルドグリーン7段→白1段
2→ 抹茶7段→白1段→黄緑7段→白1段	

製図

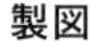

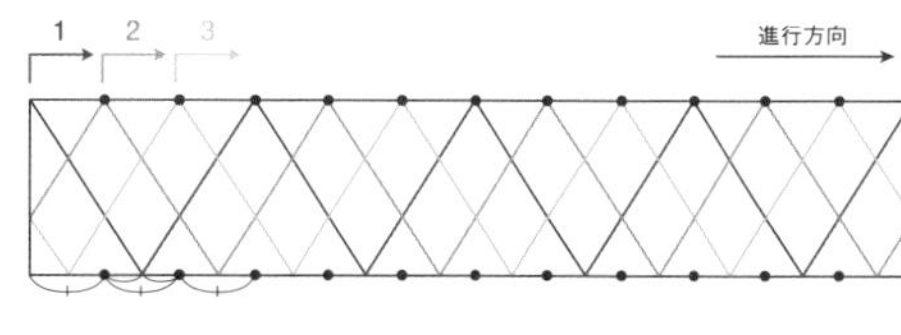

5

糸……濃水色(118)、水色(116)、薄水色(115)、濃青(144)、黒(41)

作り方

1→(濃水色)、2→(濃青)、3→(黒)を1段ずつ交互にかがります。1→は濃水色を6段、水色5段、薄水色5段の順に色を替えます。

1コマの中での糸の替え方

1→ 濃水色6段→水色5段→薄水色5段	3→ ずっと黒
2→ ずっと濃青	

製図

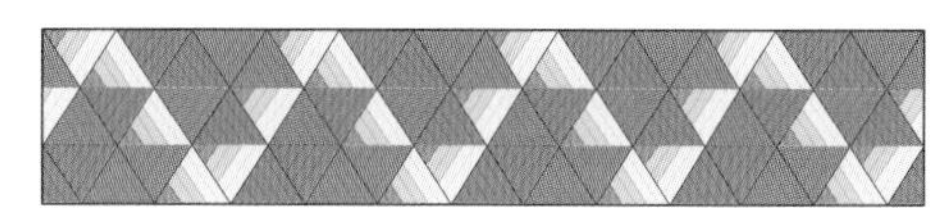

6

糸……濃オレンジ(5)、薄黄(17)、オレンジ(143)

作り方

1→(濃オレンジ)、2→(薄黄)、3→(オレンジ)を1段ずつ交互に、表面が埋まるまでかがります。最後は1→はオレンジ、2→は濃オレンジ、3→は薄黄で1段かがって終わります。

1コマの中での糸の替え方

1→ ずっと濃オレンジ→オレンジ1段	3→ ずっとオレンジ→薄黄1段
2→ ずっと薄黄→濃オレンジ1段	

製図

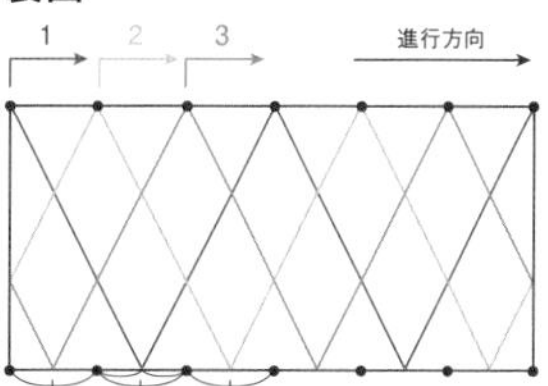

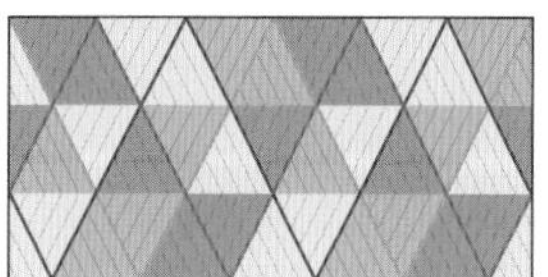

大柄な模様のほうが一見やさしく見えますが、きれいに仕上げるのは難しいです。腕試しにどうぞ!

ページ

ⓓ 四色うろこ

Point

模様の繰り返しが3回になります。三色うろこよりも円周全体に並ぶ糸の本数が減るので、針を入れるときにつめ過ぎないようにゆったりかがりましょう。

1

12コマ | 4飛び

糸……黄緑（133）、エメラルドグリーン（139）、濃緑（28）、白

作り方

1→（黄緑）、2→（エメラルドグリーン）、3→（濃緑）、4→（白）を1段ずつ交互に、表面が埋まるまでかがります。

製図

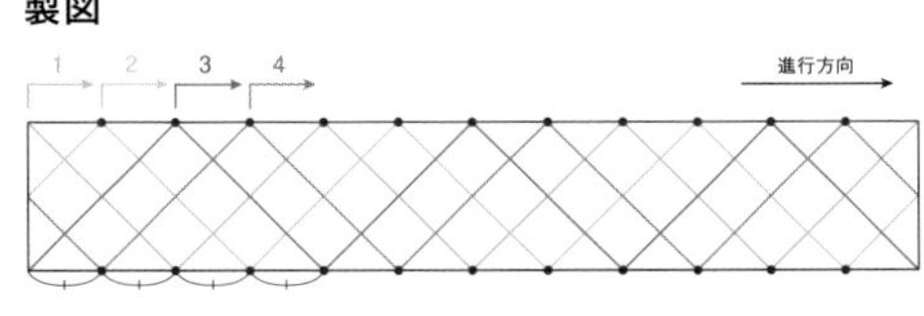

1コマの中での糸の替え方

1→ ずっと黄緑	3→ ずっと濃緑
2→ ずっとエメラルドグリーン	4→ ずっと白

2

12コマ | 4飛び

糸……紫（22）、抹茶（160）、黄（196）

作り方

1→（紫）、2→（抹茶）、3→（紫）、4→（黄）を1段ずつ交互に、表面が埋まるまでかがります。

製図

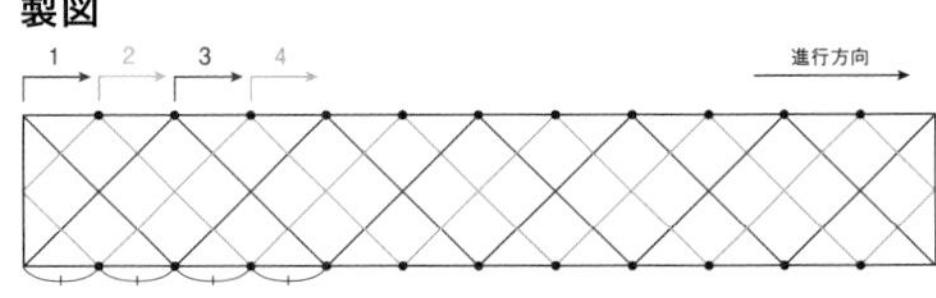

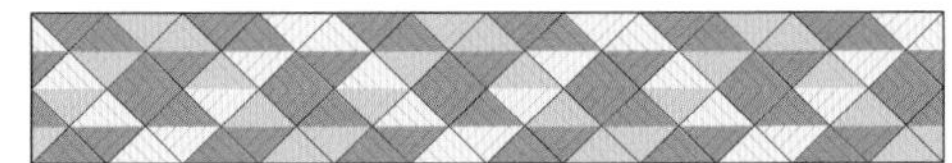

1コマの中での糸の替え方

1→ 3→ ずっと紫	
2→ ずっと抹茶	4→ ずっと黄

3

12コマ | 4飛び

糸……薄黄（17）、金（826）、灰色（827）、白、濃オレンジ（4）

作り方

1→（薄黄）、2→（白）、3→（薄黄）、4→（濃オレンジ）を1段ずつ交互にかがります。1→と3→は3段ごとに金1段の縞を入れ、最後は灰色4段で終わります。

製図

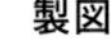

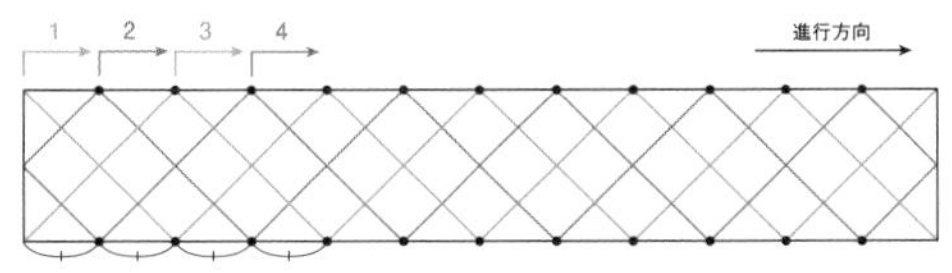

1コマの中での糸の替え方

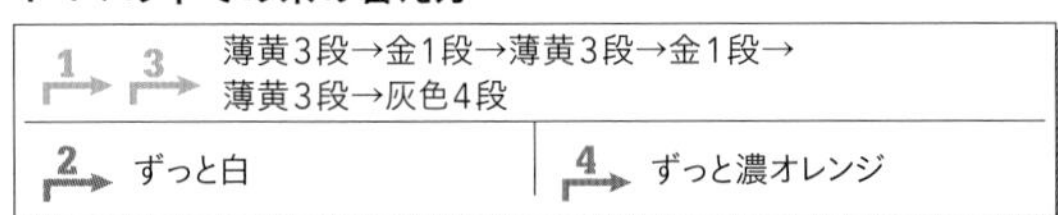

1→ 3→ 薄黄3段→金1段→薄黄3段→金1段→薄黄3段→灰色4段	
2→ ずっと白	4→ ずっと濃オレンジ

4

12コマ | 4飛び

糸……黒、青緑（136）、白

作り方

1→（黒）、2→（黒）、3→（白）、4→（白）を1段ずつ交互にかがります。1→と2→は3段ごとに青緑1段の縞を入れます。

製図

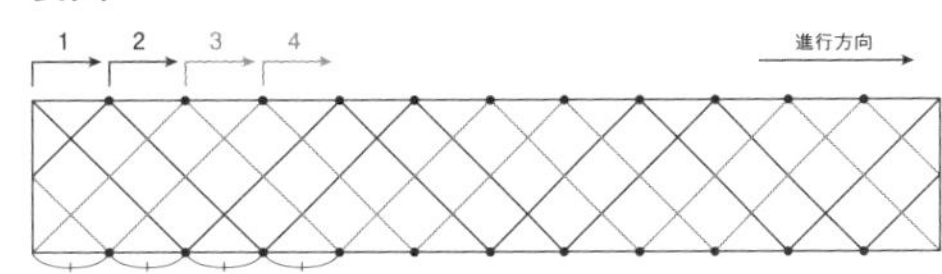

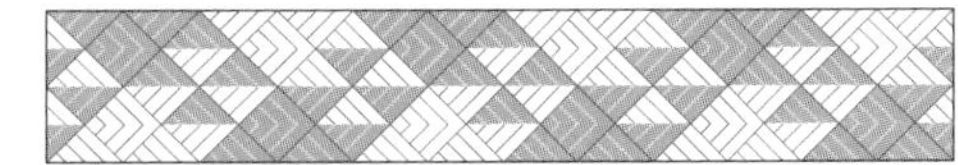

1コマの中での糸の替え方

1→ 2→	黒3段→青緑1段→黒3段→青緑1段→黒3段→青緑1段→黒3段
3→ 4→	ずっと白

5

16コマ | 4飛び

糸……アイボリー（16）、抹茶（113）、濃緑（148）

作り方

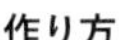

1→（アイボリー）、2→（抹茶）、3→（アイボリー）、4→（濃緑）を1段ずつ交互にかがります。

製図

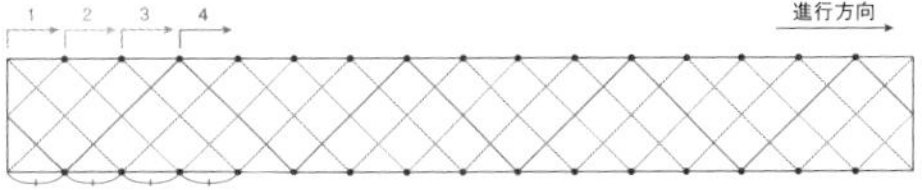

1コマの中での糸の替え方

1→ 3→ ずっとアイボリー	
2→ ずっと抹茶	4→ ずっと濃緑

緑を同じ色にしてしまうと、別ページの矢羽根と変わらないので微妙に違う緑色の組み合わせにしました。

6

12コマ | 4飛び

糸……クリーム色（142）、赤（10）

作り方

1→（クリーム色）、2→（クリーム色）、3→（赤）、4→（赤）を1段ずつ交互にかがります。2→の最後は赤1段、4→の最後はクリーム色1段で終わります。

製図

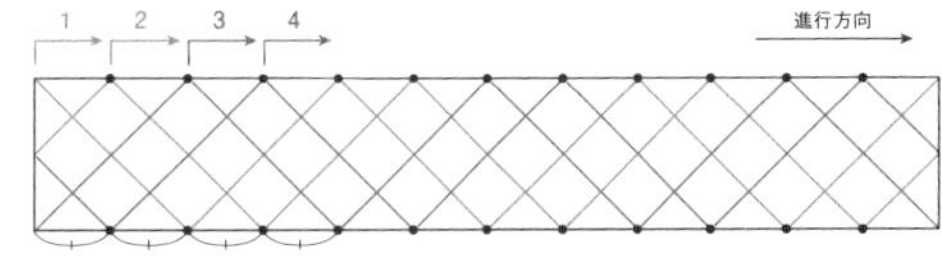

1コマの中での糸の替え方

1→ ずっとクリーム色	3→ ずっと赤
2→ ずっとクリーム色→赤1段	4→ ずっと赤→クリーム色1段

ⓔ 五色うろこ

Point

5本の色は、色味が多少ずれていても濃淡がなめらかにつながるように選ぶと美しく仕上がります。うろこの模様が好きになったら、6色、7色……と増やしてもいいですし、5色のまま等分を細かくしても美しいです。うろこをたくさん作ると、上達します。

1

15コマ | 5飛び

糸……白、エメラルドグリーン(139)、灰色(62)

作り方

1→(白)、2→(白)、3→(エメラルドグリーン)、4→(灰色)、5→(灰色)を1段ずつ交互に、表面が埋まるまでかがります。

製図

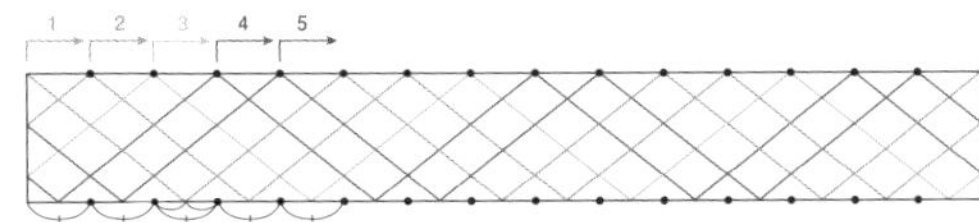

1コマの中での糸の替え方

1→ 2→ ずっと白	
3→ ずっとエメラルドグリーン	4→ 5→ ずっと灰色

2

15コマ | 5飛び

糸……赤(10)、ピンク(172)、薄オレンジ(175)、薄黄(17)、白

作り方

1→(赤)、2→(ピンク)、3→(薄オレンジ)、4→(薄黄)、5→(白)を1段ずつ交互に、表面が埋まるまでかがります。

製図

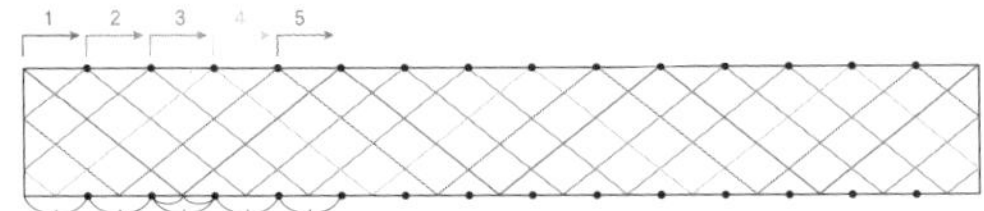

1コマの中での糸の替え方

1→ ずっと赤	3→ ずっと薄オレンジ	5→ ずっと白
2→ ずっとピンク	4→ ずっと薄黄	

3

15コマ | 5飛び

糸……薄水色(115)、白、ピンク(172)、オレンジ(143)、黄緑(133)

作り方

1→(薄水色)、2→(白)、3→(ピンク)、4→(オレンジ)、5→(黄緑)を1段ずつ交互に、表面が埋まるまでかがります。

製図

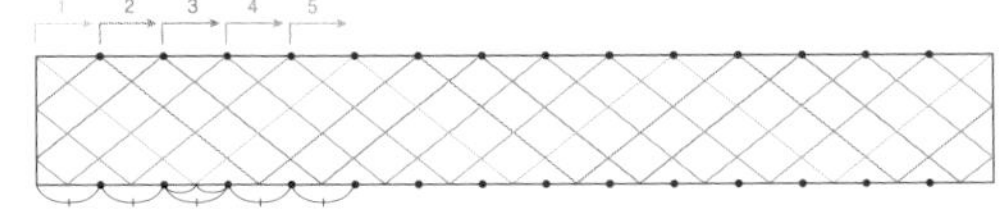

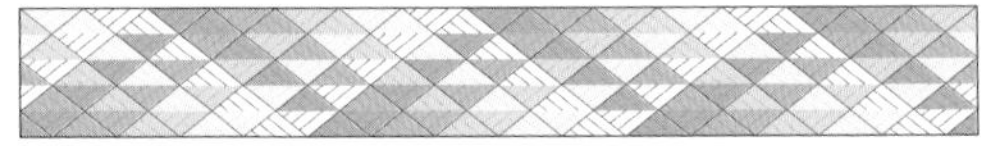

パステルカラーのふんわりしたゆびぬきにしたかったので、強すぎる色が入らないようにしました。

1コマの中での糸の替え方

1→ ずっと薄水色	3→ ずっとピンク	5→ ずっと黄緑
2→ ずっと白	4→ ずっとオレンジ	

4

25コマ｜5飛び

糸……白、薄黄(17)、オレンジ(143)、サーモンピンク(169)、濃オレンジ(4)

作り方

1(白)、2(薄黄)、3(オレンジ)、4(サーモンピンク)、5(濃オレンジ)を1段ずつ交互に、表面が埋まるまでかがります。

1コマの中での糸の替え方

1 ずっと白	3 ずっとオレンジ	5 ずっと濃オレンジ
2 ずっと薄黄	4 ずっとサーモンピンク	

製図

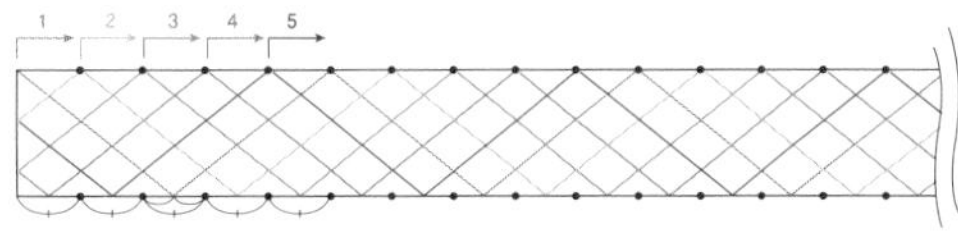

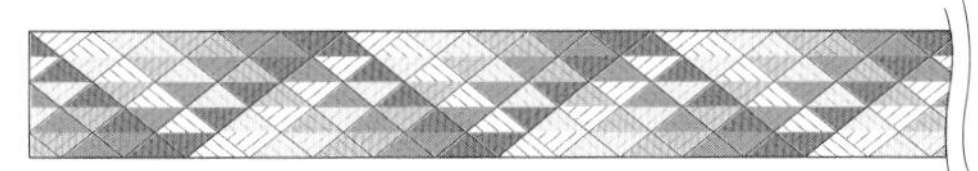

コマ数を増やして細かくするときは5の倍数にします。

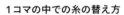

5

15コマ｜5飛び

糸……白、薄水色(115)、水色(85)、濃水色(118)、青(21)

作り方

1(白)、2(薄水色)、3(水色)、4(濃水色)、5(青)を1段ずつ交互に、表面が埋まるまでかがります。最後は1は青、2は白、3は薄水色、4は水色、5は濃水色で1段かがって終わります。

1コマの中での糸の替え方

1 ずっと白→青1段	3 ずっと水色→薄水色1段	5 ずっと青→濃水色1段
2 ずっと薄水色→白1段	4 ずっと濃水色→水色1段	

製図

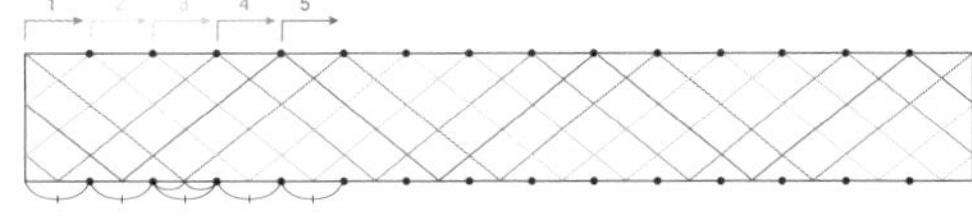

6

15コマ｜5飛び

糸…山吹色(19)、黄(196)、オレンジ(143)、濃オレンジ(176)、赤(10)

作り方

1(山吹色)、2(山吹色)、3(山吹色)、4(黄)、5(黄)を1段ずつ交互にかがります。1 2 3は半コマ進んだところでオレンジを1段、濃オレンジを4段、赤を1段かがります。

1コマの中での糸の替え方

1 2 3 山吹色6段→オレンジ1段→濃オレンジ4段→赤1段
4 5 ずっと黄

製図

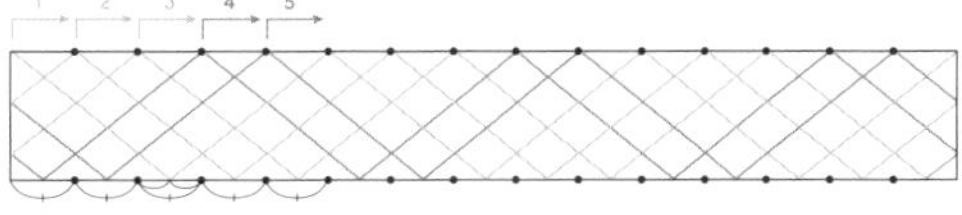

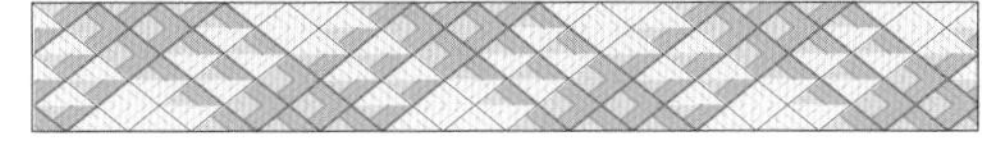

18－19 ページ

f 青海波（2飛び）

Point

1本の糸をぐるぐるとかがる、基本のまわし刺しです。何周かしてスタートまで戻ってきたら「1段」です。二色うろこに縞を入れても同じような模様ができますが、まわし刺しのほうが効率よく作ることができます。

1

9コマ｜2飛び

糸……赤（10）、白、サーモンピンク（169）、オレンジ（143）、薄黄（17）

作り方

（赤）から始め、1段ずつ順に、表面が埋まるまでかがります。5段ごとに色を替えながら白1段の縞を入れ、最後は赤1段で終わります。

製図

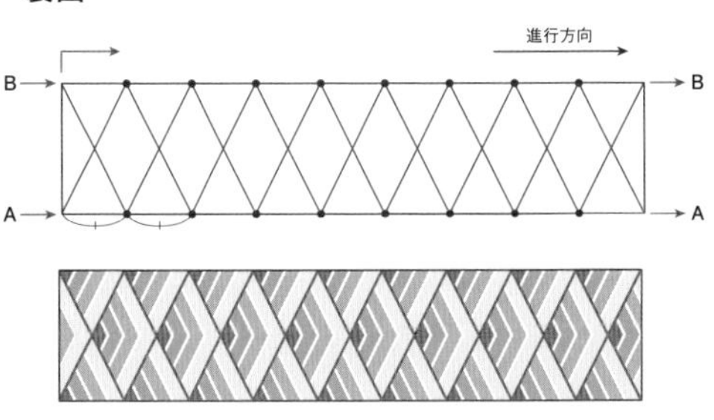

薄くなっていくグラデーションの配色では、半コマ分は濃い色になるようにしています。そうしないと濃い部分が点のように仕上がってしまいます。

1コマの中での糸の替え方

赤5段→白1段→サーモンピンク5段→白1段→オレンジ5段→白1段→薄黄5段→赤1段

2

9コマ｜2飛び

糸……濃青（144）、白

作り方

（濃青）から始め、1段ずつ順に、表面が埋まるまでかがります。3段ごとに白1段の縞を入れます。

製図

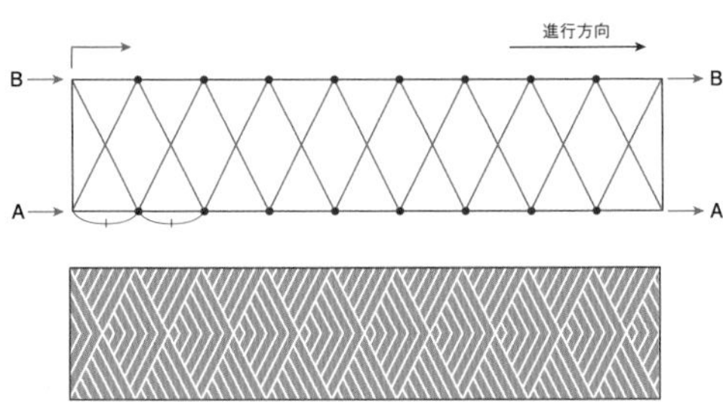

1コマの中での糸の替え方

濃青3段→白1段→濃青3段→白1段→濃青3段→白1段→濃青3段→白1段→濃青3段→白1段→濃青3段→白1段

3

9コマ｜2飛び

糸……濃緑（731）、白、緑（30）

作り方

（濃緑）を9段かがり、白1段、濃緑1段、白1段の3本の縞を入れます。続いて緑を8段かがり、さきほどと同様に3本の縞を入れます。

製図

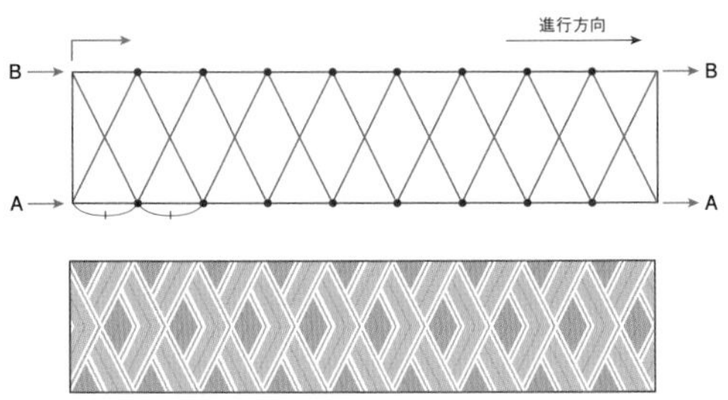

1コマの中での糸の替え方

濃緑9段→白1段→濃緑1段→白1段→緑8段→白1段→濃緑1段→白1段

4

9コマ | 2飛び

糸……青(21)、白、スカイブルー(20)、水色(85)、青緑(136)、薄水色(115)

作り方

(青)から始め、1段ずつ順に、表面が埋まるまでかがります。下の表に沿って色を替えながらかがります。

製図

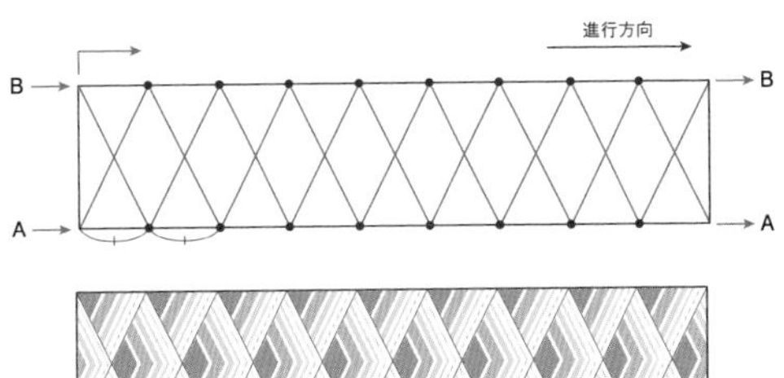

1コマの中での糸の替え方

青8段→白1段→スカイブルー4段→白1段→水色2段→白1段→青緑1段→白1段→薄水色1段→白2段

5

9コマ | 2飛び

糸……薄黄(17)、白、山吹色(19)、濃オレンジ(176)、赤(10)、赤紫(89)

作り方

(薄黄)から始め、1段ずつ順に、表面が埋まるまでかがります。下の表に沿って3段ごとに色を替えながら白1段の縞を入れます。最後は赤紫を4段かがり、白2段で終わります。

製図

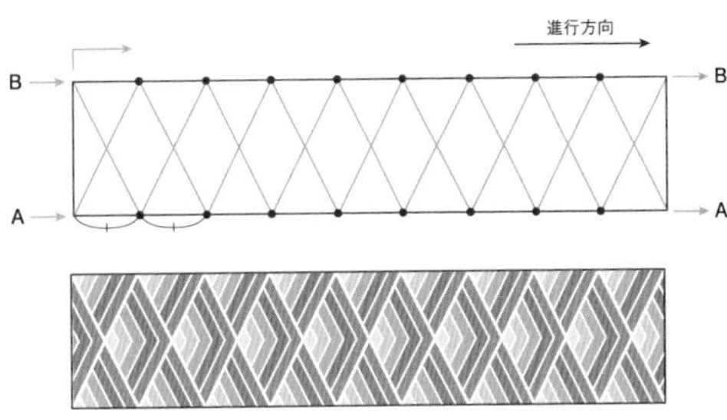

1コマの中での糸の替え方

薄黄3段→白1段→山吹色3段→白1段→濃オレンジ3段→白1段→赤3段→白1段→赤紫4段→白2段

6

11コマ | 2飛び

糸……赤(10)、白、ピンク(795)、薄ピンク(93)、アイボリー(006)

作り方

(赤)から始め、1段ずつ順に、表面が埋まるまでかがります。下の表に沿って3段ごとに色を替えながら白1段の縞を入れます。最後は薄ピンク2段で終わります。

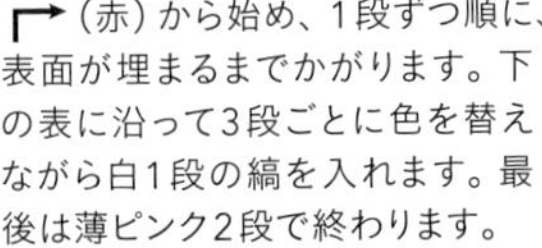

製図

1コマの中での糸の替え方

赤3段→白1段→ピンク3段→白1段→薄ピンク3段→白1段→アイボリー3段→白1段→薄ピンク2段

ⓖ 青海波（3飛び）

Point

飛び数が増えて模様が細かくなりますが、1本の糸でぐるぐるとかがって作ります。2飛びのときよりも円周全体の本数が減りますので、できあがったら本数を数えてみましょう。

1

10コマ｜3飛び

糸……ピンク（795）、白、サーモンピンク（169）、オレンジ（020）、山吹色（19）

作り方

┏→（ピンク）から始め、1段ずつ順に、表面が埋まるまでかがります。下の表に沿って3段ごとに色を替えながら白1段の縞を入れます。最後はサーモンピンク1段で終わります。

製図

進行方向

1コマの中での糸の替え方

┏→ ピンク3段→白1段→サーモンピンク3段→白1段→オレンジ3段→白1段→山吹色3段→白3段→サーモンピンク1段

2

10コマ｜3飛び

糸……濃青（144）、白、スカイブルー（20）、水色（85）

作り方

┏→（濃青）から始め、1段ずつ順に、表面が埋まるまでかがります。下の表に沿って4段ごとに色を替えながら白1段の縞を入れ、最後は白3段で終わります。

製図

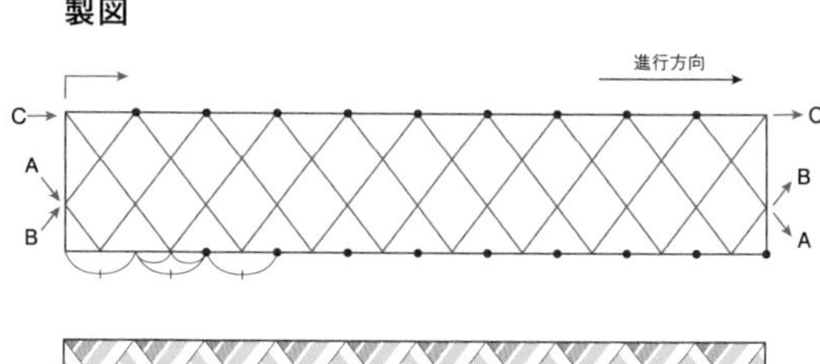

1コマの中での糸の替え方

┏→ 濃青4段→白1段→スカイブルー4段→白1段→水色4段→白3段

3

10コマ｜3飛び

糸……紫（22）、白

作り方

┏→（紫）から始め、1段ずつ順に、表面が埋まるまでかがります。2段ごとに白1段の縞を入れ、最後は白2段で終わります。

製図

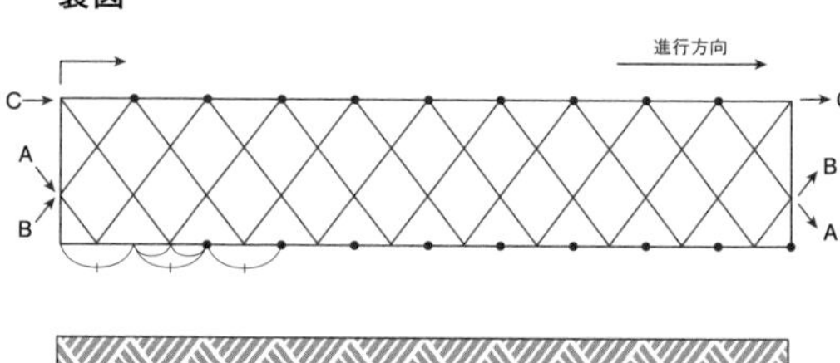

1コマの中での糸の替え方

┏→ 紫2段→白1段→紫2段→白1段→紫2段→白1段→紫2段→白1段→紫2段→白1段→紫2段→白2段

4

10コマ｜3飛び

糸……水色(85)、黄緑(133)、クリーム色(142)、薄オレンジ(175)、ピンク(171)、白

作り方

(水色)から始め、1段ずつ順に、表面が埋まるまでかがります。下の表に沿って3段ごとに色を替えながらかがります。最後はピンク4段、白2段で終わります。

製図

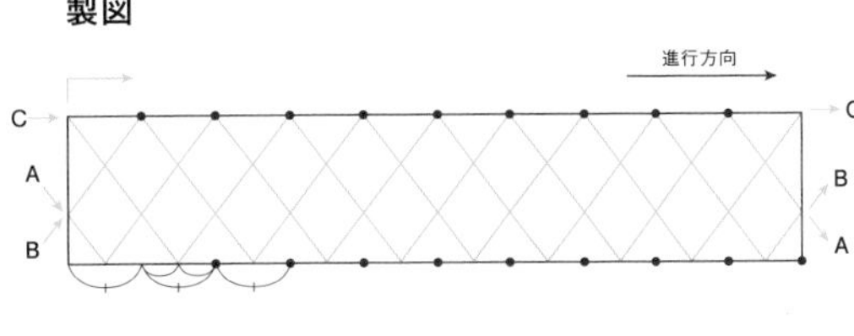

1コマの中での糸の替え方

水色3段→黄緑3段→クリーム色3段→薄オレンジ3段→ピンク4段→白2段

5

10コマ｜3飛び

糸……赤(10)、白、オレンジ(143)、薄黄(17)

作り方

(赤)から始め、1段ずつ順に、表面が埋まるまでかがります。下の表に沿って3段ごとに色を替えながら白1段の縞を入れます。最後は白2段で終わります。

製図

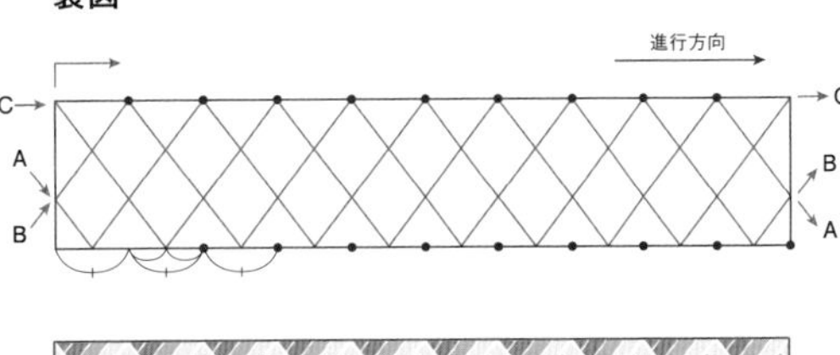

1コマの中での糸の替え方

赤3段→白1段→赤3段→白1段→オレンジ3段→白1段→薄黄3段→白2段

6

10コマ｜3飛び

糸……濃緑(28)、白、エメラルドグリーン(139)、スカイブルー(20)

作り方

(濃緑)から始め、1段ずつ順に、表面が埋まるまでかがります。下の表に沿って糸を替えながらかがります。

製図

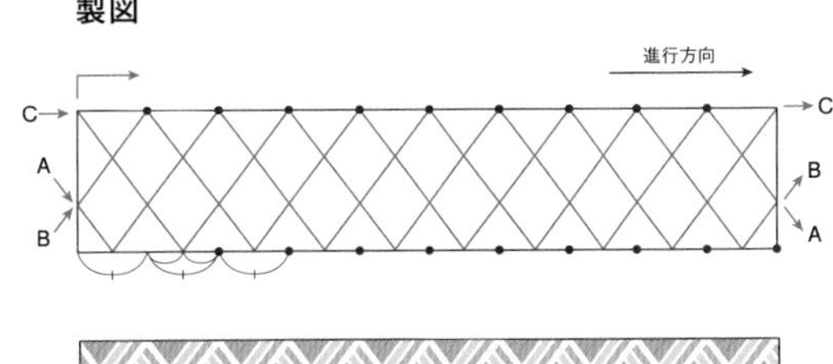

1コマの中での糸の替え方

濃緑10段→白1段→エメラルドグリーン2段→白1段→スカイブルー2段→白2段

h 青海波(4飛び)

Point

飛び数を増やしていくと、どんどん模様が細かくなりますが、1本の糸でまわし刺しでかがっていくことができます。糸をつめすぎるとふちに近いところの模様が歪むので、少しゆったりかがるようにしましょう。

1

11コマ｜4飛び

糸……生成(00)、青緑(43)、エメラルドグリーン(139)、ピンク(172)、白

作り方

(生成)から始め、1段ずつ順にかがります。下の表に沿って2段ごとに色を替えながらかがり、最後は生成3段で終わります。

製図

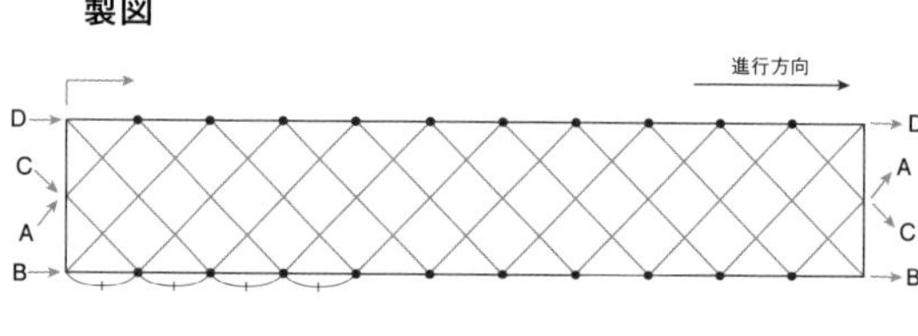

1コマの中での糸の替え方

生成2段→青緑2段→生成2段→エメラルドグリーン2段→生成2段→ピンク2段→生成3段

2

11コマ｜4飛び

糸……青紫(24)、白、紫(22)、ラベンダー(004)、薄紫(005)

作り方

(青紫)から始め、1段ずつ順にかがります。下の表に沿って3段ごとに色を替えながら白1段の縞を入れ、最後は白2段で終わります。

製図

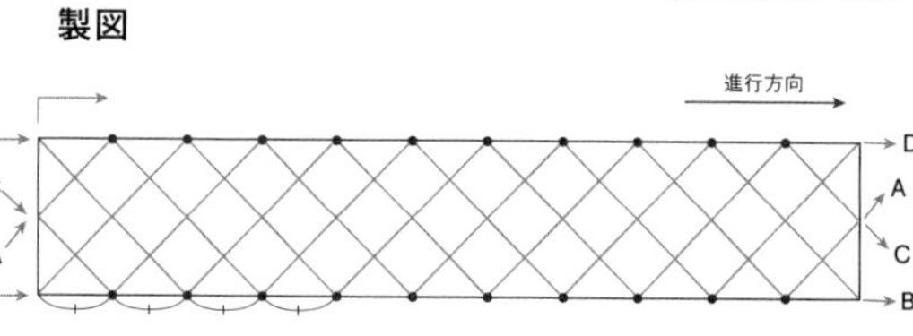

1コマの中での糸の替え方

青紫3段→白1段→紫3段→白1段→ラベンダー3段→白1段→薄紫3段→白2段

3

11コマ｜4飛び

糸……濃青(144)、白

作り方

(濃青)から始め、1段ずつ順にかがります。下の表に沿って3段ごとに白1段の縞を3回入れ、その後は濃青5段かがり、最後は白1段で終わります。

製図

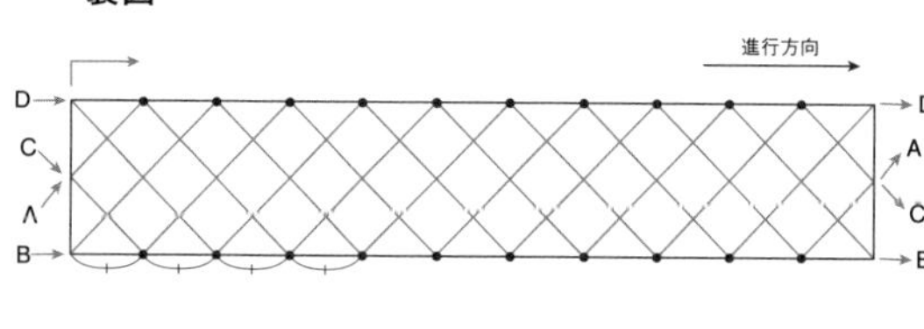

1コマの中での糸の替え方

濃青3段→白1段→濃青3段→白1段→濃青3段→白1段→濃青5段→白1段

4

11コマ | 4飛び

糸……モスグリーン(113)、白、抹茶(162)

作り方

┏→(モスグリーン)から始め、1段ずつ順にかがります。下の表に沿って4段ごとに色を替えながら白1段の縞を入れ、最後はモスグリーン1段で終わります。

製図

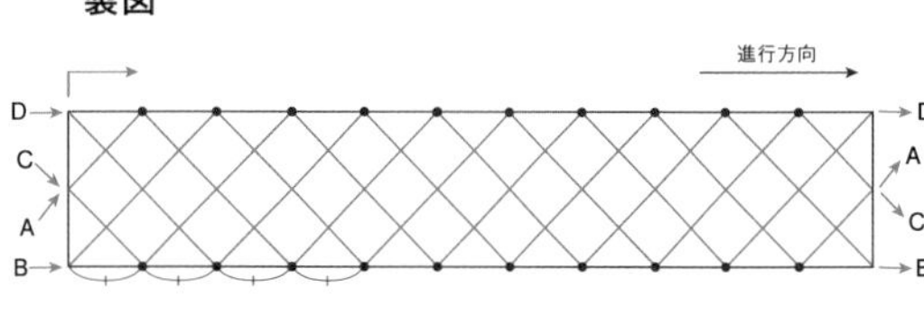

1コマの中での糸の替え方

┏→ モスグリーン4段→白1段→抹茶4段→白1段→モスグリーン4段→白1段→モスグリーン1段

5

11コマ | 4飛び

糸……赤(10)、白

作り方

┏→(赤)から始め、1段ずつ順にかがります。下の表に沿って糸を変えながらかがります。

製図

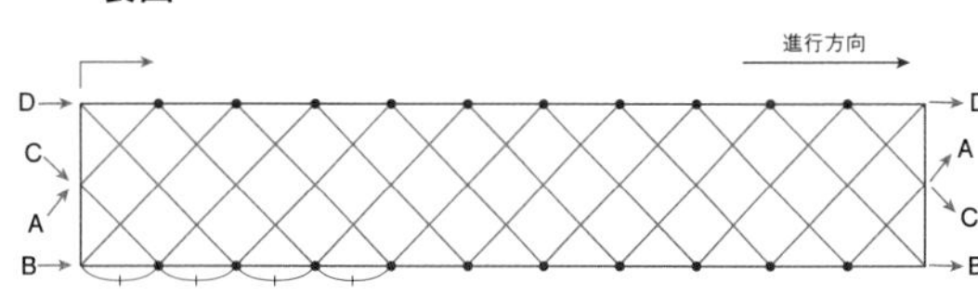

1コマの中での糸の替え方

┏→ 赤7段→白1段→赤1段→白7段→赤1段

ページ

ⓘ 矢羽根（4飛び）

Point

同じ模様を四色うろこで作ることもできますが、まわし刺しで作ると2本でできて効率的です。対称の模様はズレが目立つので、コマの上下の埋まり方が均一になるように、気をつけてかがります。

1

14コマ｜4飛び

糸……青（21）、白、黒（41）

作り方

1→（青）、2→（白）を1段ずつ交互に、表面が埋まるまでかがります。1→ 2→とも最後は黒1段で終わります。

製図

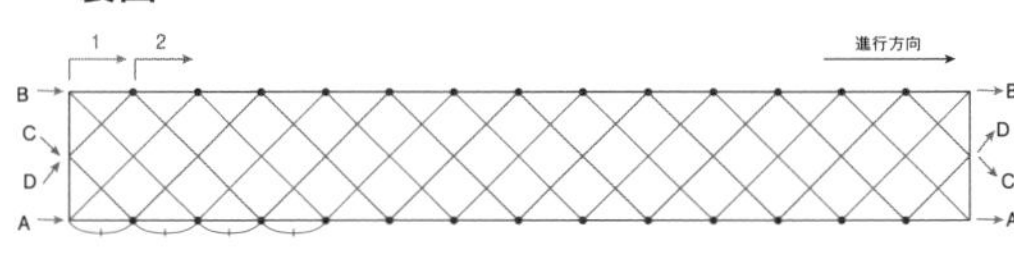

1コマの中での糸の替え方

1→	ずっと青→黒1段
2→	ずっと白→黒1段

2

14コマ｜4飛び

糸……薄オレンジ（175）、薄黄（17）、白、濃紫（2）、茶（135）

作り方

1→（薄オレンジ）、2→（濃紫）を1段ずつ交互にかがります。1→は薄オレンジ6段、薄黄6段かがり、最後は白1段で終わります。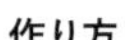は濃紫6段、茶7段かがります。

製図

1コマの中での糸の替え方

1→	薄オレンジ6段→薄黄6段→白1段
2→	濃紫6段→茶7段

最後に入れる1本の色ははじめ赤にしようと思っていましたが、実際に並べてみるとしつこかったので白にしました。

3

14コマ｜4飛び

糸……薄黄（17）、濃オレンジ（176）

作り方

1→（薄黄）、2→（濃オレンジ）を1段ずつ交互に、表面が埋まるまでかがります。

製図

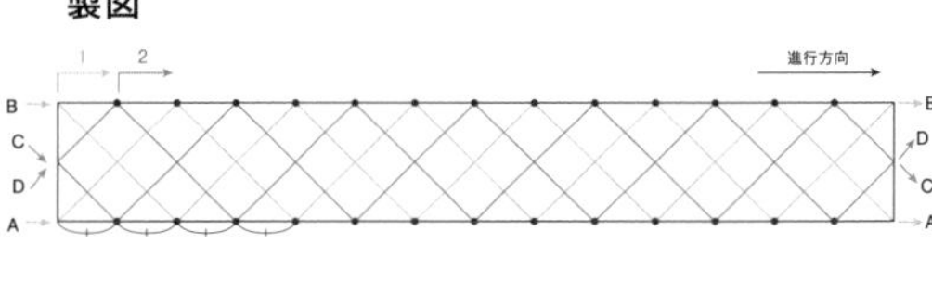

1コマの中での糸の替え方

1→	ずっと薄黄
2→	ずっと濃オレンジ

4

14コマ｜4飛び

糸……赤（10）、白

作り方

1→（赤）、2→（白）を1段ずつ交互にかがります。半コマ進んだところで糸を1→は白、2→は赤に替え、表面が埋まるまでかがります。

製図

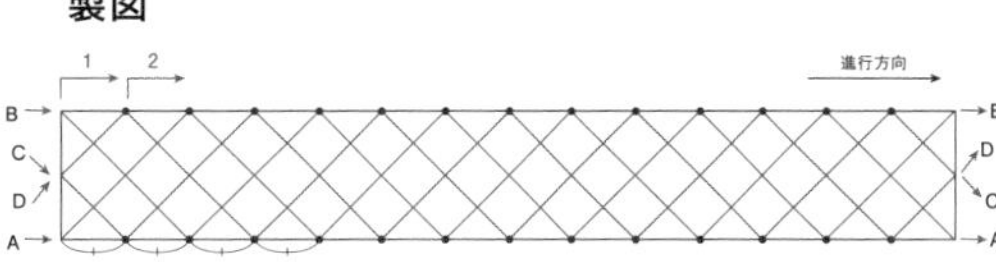

1コマの中での糸の替え方

1→	赤6段→白7段
2→	白6段→赤7段

ちょっとしたことで、とても複雑に見えます。

5

14コマ｜4飛び

糸……黒（41）、白、青緑（136）、薄黄緑（730）

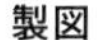

製図

作り方

1→（黒）、2→（黒）を1段ずつ交互にかがります。下の表に沿って2段ごとに白1段の縞を入れ、最後は1→は青緑4段、2→は薄黄緑4段で終わります。

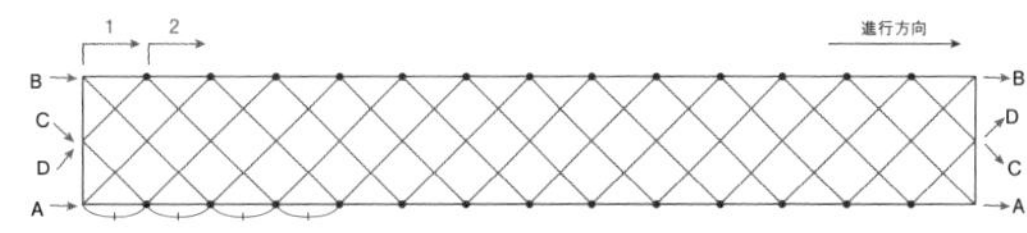

1コマの中での糸の替え方

1→	黒2段→白1段→黒2段→白1段→黒2段→青緑4段
2→	黒2段→白1段→黒2段→白1段→黒2段→薄黄緑4段

矢羽根の面影もないこの変わり方に嬉しくなります。

6

6コマ｜4飛び

糸……アイボリー（16）、紫（22）

作り方

1→（アイボリー）、2→（紫）を1段ずつ交互に、表面が埋まるまでかがります。

製図

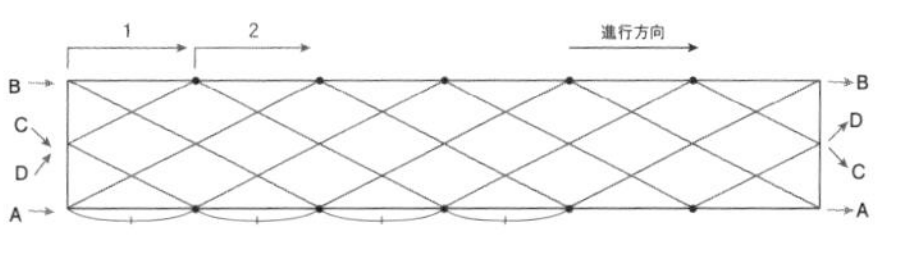

1コマの中での糸の替え方

1→	ずっとアイボリー
2→	ずっと紫

矢羽根も大きくかがってみました。糸をつめすぎないように注意してください。

j 矢羽根（6飛び）

Point

斜めにわたる糸が長くなるので、糸が落ち着かず作りにくくなってきます。途中とちゅうで糸を整えながらかがります。円周全体の本数もかなり減りますので、つめすぎないように、ゆったりかがるようにしましょう。

1

16コマ｜6飛び

糸……赤（10）、ピンク（172）、薄ピンク（12）、白

作り方

1→（赤）、2→（ピンク）を1段ずつ交互にかがります。下の表に沿って 2→はピンク3段、薄ピンク3段、白5段かがります。

製図

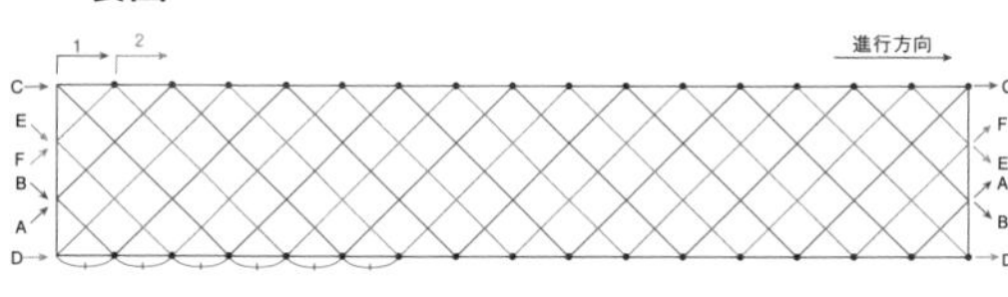

1コマの中での糸の替え方

1→	ずっと赤
2→	ピンク3段→薄ピンク3段→白5段

2

16コマ｜6飛び

糸……薄ベージュ（182）、茶（135）

作り方

1→（薄ベージュ）、2→（茶）を1段ずつ交互に、表面が埋まるまでかがります。

製図

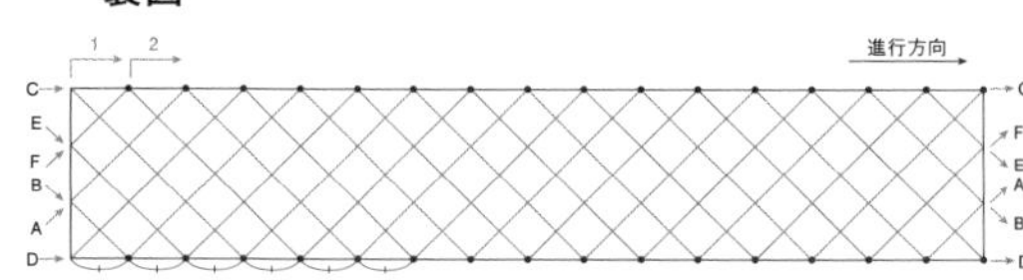

1コマの中での糸の替え方

1→	ずっと薄ベージュ
2→	ずっと茶

3

16コマ｜6飛び

糸……クリーム色（142）、ピンク（795）

作り方

1→（クリーム色）、2→（クリーム色）を1段ずつ交互にかがります。1→は半コマ進んだところで糸をピンクに替え、表面が埋まるまでかがります。

製図

1コマの中での糸の替え方

1→	クリーム色（半分）→ピンク（半分）
2→	ずっとクリーム色

4

14コマ | 8飛び

糸……白、紫(6)

作り方

1→(白)、2→(紫)を1段ずつ交互に、表面が埋まるまでかがります。

製図

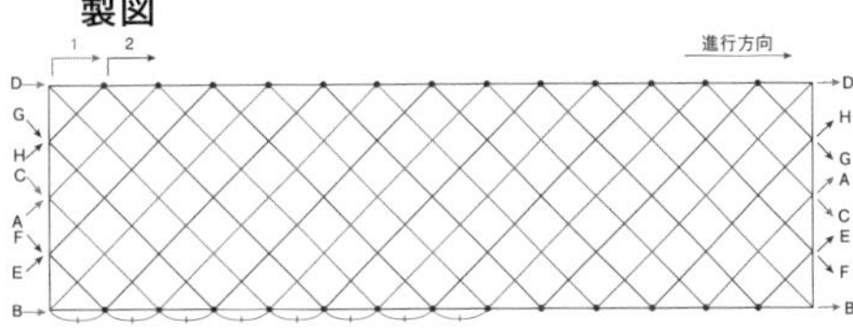

飛び数を8飛びに増やしてみました。

1コマの中での糸の替え方

1→	ずっと白
2→	ずっと紫

5

16コマ | 6飛び

糸……濃緑(731)、薄水色(115)、焦茶(820)

作り方

1→(濃緑)、2→(濃緑)を1段ずつ交互にかがります。下の表に沿って 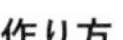 は2段ごとに薄水色1段の縞を入れます。最後は 1→ は薄水色2段、2→ は焦茶1段で終わります。

製図

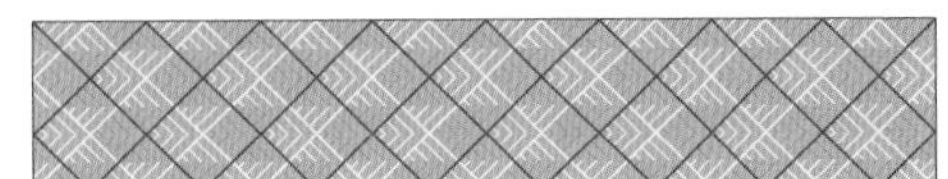

1コマの中での糸の替え方

1→	濃緑2段→薄水色1段→濃緑2段→薄水色1段→濃緑2段→薄水色2段
2→	ずっと濃緑→焦茶1段

6

16コマ | 6飛び

糸……薄ピンク(93)、山吹色(19)、茶(823)

作り方

1→(薄ピンク)、2→(薄ピンク)を1段ずつ交互にかがります。最後は 1→ は山吹色1段、2→ は茶1段で終わります。

製図

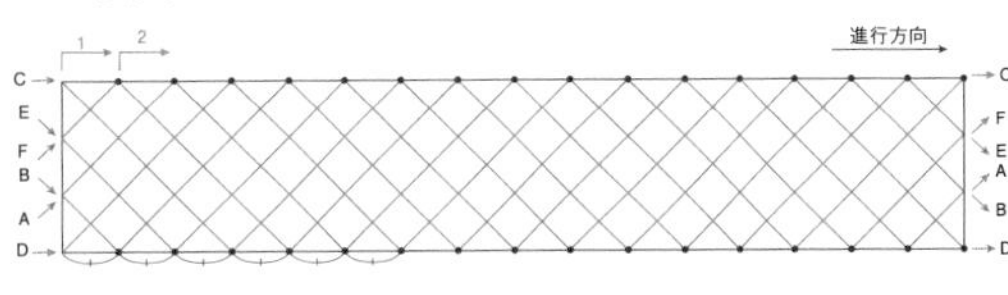

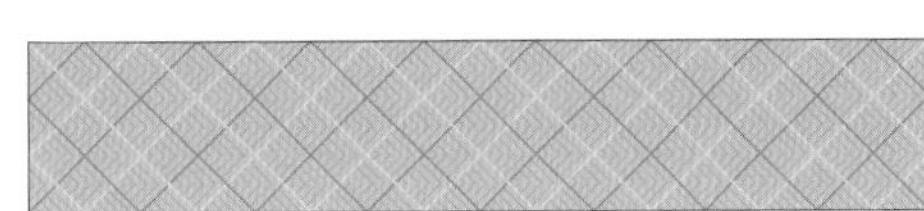

1コマの中での糸の替え方

1→	ずっと薄ピンク→山吹色1段
2→	ずっと薄ピンク→茶1段

28 ページ

k 金魚

Point

金魚のように強調したい部分があるときは、糸のスタートをずらしてかがると、模様が浮き上がります。その時も、上下の糸の位置が一致するように注意してかがりましょう。

1

15コマ | 6飛び

糸……濃オレンジ(5)、黒、スカイブルー(20)

作り方

1（濃オレンジ）、2（濃オレンジ）、3（黒）を1段ずつ交互に、表面が埋まるまでかがります。3は下の表に沿って3段ごとにスカイブルー1段の縞を3回入れ、最後は黒1段で終わります。

製図

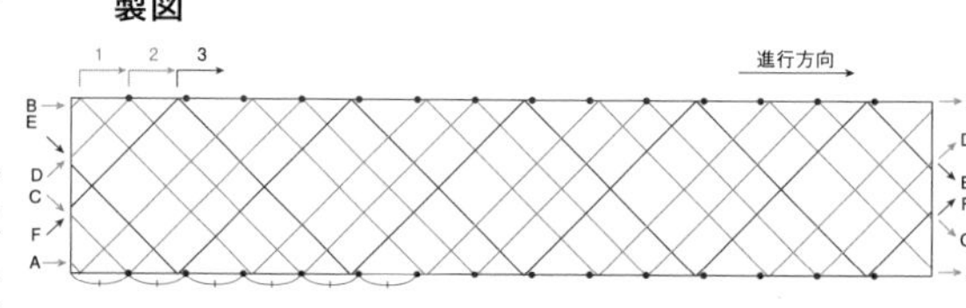

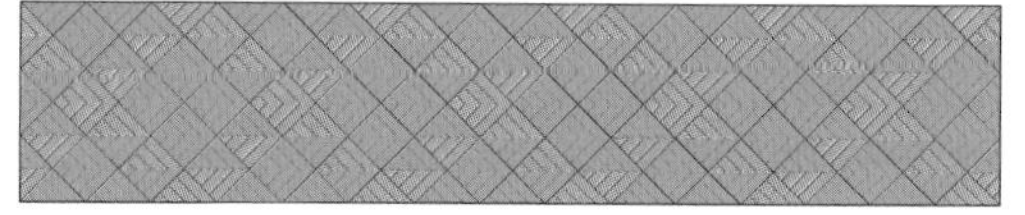

金魚になる1 2を小さめに作るために、1を2寄りに、3を2寄りに、糸1〜2本分だけずらしてスタートします。

1コマの中での糸の替え方

1 2	ずっと濃オレンジ
3	黒3段→スカイブルー1段→黒3段→スカイブルー1段→黒3段→スカイブルー1段→黒1段

2

15コマ | 6飛び

糸……白、黄(196)、濃オレンジ(176)

作り方

1（白）、2（黄）、3（濃オレンジ）を1段ずつ交互に、表面が埋まるまでかがります

製図

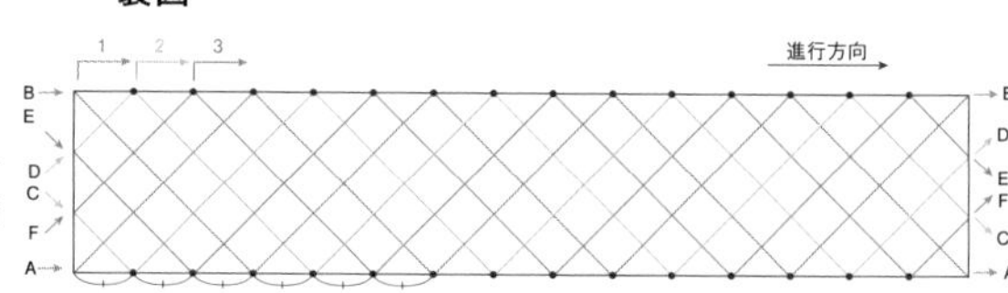

1コマの中での糸の替え方

1	ずっと白
2	ずっと黄
3	ずっと濃オレンジ

3

15コマ | 6飛び

糸……焦茶(820)、茶(823)、黄(196)

作り方

1（焦茶）、2（焦茶）、3（黄）を1段ずつ交互に、表面が埋まるまでかがります。1と2は下の表に沿って2段ごとに茶1段の縞を入れます。

製図

1 2 3 進行方向

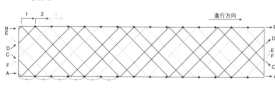

まつぼっくりになる1 2を小さめに作るために、1を2寄りに、3を2寄りに、糸1〜2本分だけずらしてスタートします。

1コマの中での糸の替え方

1 2	焦茶2段→茶1段→焦茶2段→茶1段→焦茶2段
3	ずっと黄

4

糸…… 抹茶(162)、白、水色(85)、青(21)

作り方

1(抹茶)、2(水色)、3(青)を1段ずつ交互にかがります。1と2は半コマ進んだところで糸を白に替え、表面が埋まるまでかがります

製図

1コマの中での糸の替え方

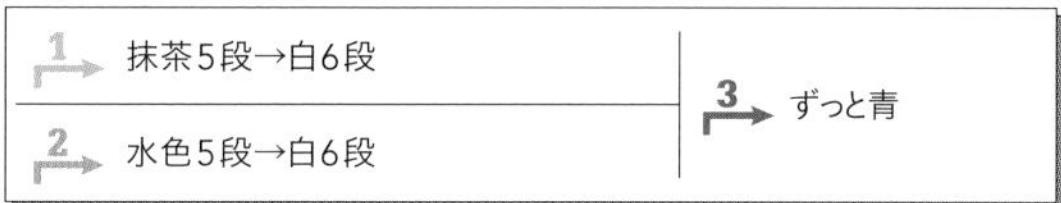

1 抹茶5段→白6段	3 ずっと青
2 水色5段→白6段	

5

15コマ | 6飛び

糸……黒、スカイブルー(20)、青緑(136)

作り方

1(黒)、2(青緑)、3(黒)を1段ずつ交互にかがります。半コマ進んだところで1はスカイブルーに、2は黒に糸を変え、表面が埋まるまでかがります。

製図

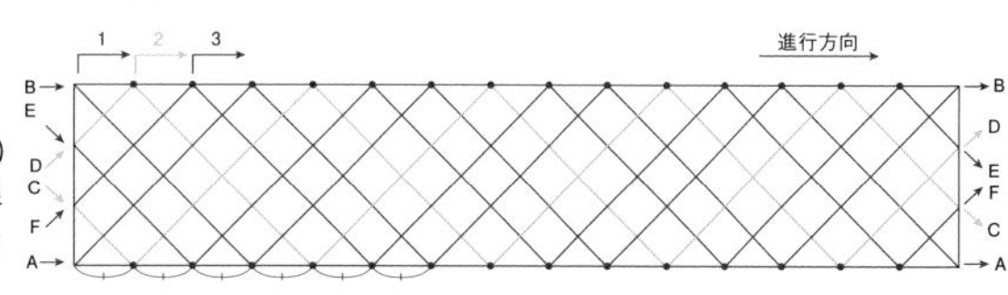

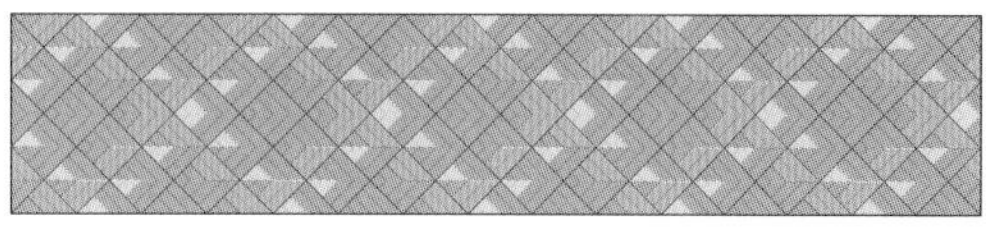

1コマの中での糸の替え方

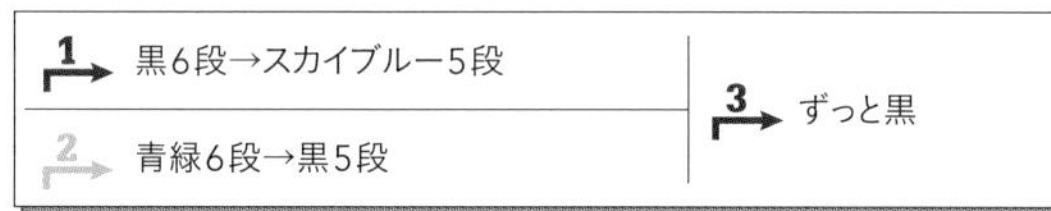

1 黒6段→スカイブルー5段	3 ずっと黒
2 青緑6段→黒5段	

絹手縫い糸のお問い合わせ先

カナガワ株式会社
〒111-0051
東京都台東区蔵前4-10-1
TEL 03-3861-2231
http://www.kanagawa-net.co.jp/

加賀てまり毬屋
〒920-0919
石川県金沢市南町5－7
TEL&FAX 076-231-7660
http://kagatemari.com/

staff

撮影　タケダトオル（miroir）
装丁・デザイン　望月昭秀（NILSON）
イラスト　たまスタヂオ、白井麻衣
編集　宮崎珠美（Office Foret）

1本の糸から生まれる美しい模様135点
はじめての加賀ゆびぬき 第2版

2014年3月24日　第1版　発　行
2017年5月1日　第4刷
2023年2月11日　第2版　発　行

NDC594

著　　者　大西由紀子
発 行 者　小川雄一
発 行 所　株式会社 誠文堂新光社
〒113-0033　東京都文京区本郷3-3-11
電話03-5800-5780
https://www.seibundo-shinkosha.net/
印 刷 所　株式会社 大熊整美堂
製 本 所　和光堂 株式会社

ISBN978-4-416-62303-9

大西由紀子

加賀ゆびぬき作家。加賀ゆびぬきの会代表。金沢に生まれる。祖母は長年にわたり、金沢に伝わるゆびぬきの技法を復元・研究する小出つや子さん。2000年から祖母や母の指導のもと、ゆびぬき作りを始める。2004年1月に東京・銀座で初の作品展を開催し、好評を博す。自らのホームページ上をはじめ、雑誌などさまざまな媒体で作品を発表している。著書に『絹糸でかがる加賀のゆびぬき』(NHK出版)。

著者のホームページ
THIMBLE JAPAN
http://www.yubinuki.net/

等分印スケール

※等分する紙の両端を斜めに当てて印付けをします。
詳しい使い方は33～34ページをご参照下さい。